COLLECTION
FOLIO/ESSAIS

Alain Finkielkraut

La mémoire vaine

Du crime
contre l'humanité

Gallimard

Alain Finkielkraut, né à Paris en 1949, est notamment l'auteur du *Juif imaginaire*, de *La sagesse de l'amour* et du *Mécontemporain*.

en hommage à Primo Levi

I

L'ultime ajournement de l'histoire

Dans un article des *Cahiers de la Quinzaine* écrit en 1909, Péguy relate la visite d'un jeune homme, un gamin de dix-huit ans, venu lui poser des questions sur l'affaire Dreyfus, qui fut, on le sait, l'événement de sa vie : « Il était si docile. Il avait son chapeau à la main. Il tournait son chapeau dans ses doigts. Il m'écoutait, m'écoutait. Il buvait mes paroles. *Il se renseignait. Il apprenait.* Hélas il apprenait de l'histoire. Il s'instruisait. Je n'ai jamais aussi bien compris qu'alors, dans un éclair, aussi instantanément senti ce que c'était que l'histoire ; et l'abîme infranchissable qu'il y a, qui s'ouvre entre l'événement réel et l'événement historique ; l'incompatibilité totale, absolue ; l'étrangeté totale ; l'incommunication ; l'incommensurabilité ; littéralement l'absence de commune mesure même possible [...] Jamais je ne vis dans un tel éclair, dans un tel saisissement, qu'il y a le présent, et qu'il y a le passé. Le présent, quel qu'en soit la longueur de temps, où l'on se meut. Le passé, où qu'il atteigne, déjà, où qu'il s'avance, où qu'il

11

monte, où qu'il ait gagné [...] où l'on ne se meut pas; et où l'on a de bonnes raisons pour ne pas se mouvoir [1]. »

Avec le procès Barbie, c'est l'expérience inverse qu'il nous a été donné de vivre : alors que Péguy voyait l'histoire s'emparer de l'affaire Dreyfus, l'embaumer et la ranger, avec une déférence impitoyable, parmi les procès célèbres, nous avons vu, nous, un passé déjà historique transmué en présent judiciaire. Deux mois durant au Palais de Justice de Lyon, les protagonistes d'une période que l'on croyait révolue ont, dans le cadre d'un débat criminel, repris la parole aux historiens. En nous plaçant dans l'horizon de la sentence et non plus seulement de la connaissance ou de la commémoration, cette cérémonie judiciaire comblait l'abîme qui nous séparait du temps de Barbie et de ses victimes. Par le fait même que nous attendions, avec eux, le verdict, nous devenions leurs contemporains. Ce qui avait eu lieu il y a plus de quarante ans recevait aujourd'hui, devant nous, son épilogue.

« Pour chaque homme, et pour chaque événement, écrivait encore Péguy, il vient une minute, une heure, il tombe une heure où il devient historique, il sonne un certain coup de minuit, à une certaine horloge de village où l'événement de réel, tombe historique. »

Le procès Barbie nous a rappelé que ce coup de

1. Charles Péguy, « A nos amis, à nos abonnés », *Œuvres en prose, 1909-1914*, Gallimard, Bibl. de la Pléiade, 1957, p. 45 et p. 48.

minuit n'avait pas encore tout à fait sonné pour l'extermination, en dépit du temps qui passe, du savoir qui progresse, et des travaux qui, fort heureusement, s'accumulent.

On a dit un peu vite de ce procès qu'il fut une grande leçon d'histoire à l'usage des jeunes générations : son prix, au contraire, tient tout entier dans la volonté exprimée et accomplie par la justice d'arracher – une dernière fois, peut-être – les crimes nazis au linceul de l'histoire.

II

La légalité du mal

Mais Barbie en valait-il la chandelle? Fallait-il, par souci pédagogique ou pour repousser l'échéance fatale de l'historisation, poursuivre et juger quarante ans – deux générations! – après les faits ce petit exécutant, ce monstre subalterne, cet Eichmann du pauvre? Qu'est-ce, en effet, que le chef des sections IV et VI du Sipo-SD de Lyon par rapport aux grands dignitaires nazis qui comparurent à Nuremberg, à Francfort ou à Jérusalem? Peu de chose, sans doute, mais cette objection très souvent formulée à l'égard du procès Barbie n'est pas pour autant recevable. Car elle manque l'essentiel. Du haut en bas de l'échelle, de Eichmann aux conducteurs de trains, la solution finale fut un crime d'employés. Bureaucrates ou policiers, civils ou soldats, ses protagonistes étaient tous des exécutants, qui faisaient leur métier et qui avaient des ordres. Quel que fût leur rang dans la hiérarchie de l'État, la compétence et l'obéissance étaient les deux grands ressorts de leur action : « C'est ce qu'il y a de neuf et de terrifiant dans la cruauté nazie, écrit Max Picard immédiatement après la guerre : elle n'est plus à l'échelle de l'homme, mais à l'échelle de ce qui est hors de l'homme, à la mesure de l'appareil de laboratoire ou de la machine industrielle. La cruauté même de Néron et de Caligula avait du moins conservé un lien avec les hommes qu'ils étaient, avec leur chair brutale et leur sensualité pervertie; on reconnaissait encore dans le crime les décombres de l'homme. La cruauté nazie émane d'un appareil industriel ou d'un homme devenu tout entier appareil [1]. »

Appareil industriel lui-même nationalisé, intégré à l'appareil d'État. Comme le montre, avec beaucoup de profondeur, le procureur général adjoint de la France au tribunal international de Nuremberg, Edgar Faure, le Reich allemand avait édifié un véritable « service public criminel » qui organisait ses agissements meurtriers « selon les méthodes administratives par lesquelles les autres États se soucient d'assurer leurs fonctions régulières [2] ».

C'est précisément pour ôter au *crime* l'excuse du *service*, et pour restituer la qualité d'assassins aux citoyens respectueux de la loi « élevés dans les bons principes et répugnant à la vue des tortures [3] » qui avaient travaillé à sa mise en œuvre, que fut élabo-

1. Max Picard, *L'homme du néant* (titre original : *Hitler in uns selbst*), traduit de l'allemand par Jean Rousset, La Baconnière, 1947, p. 49.
2. Edgar Faure, Introduction à *La persécution des Juifs en France et dans les autres pays de l'Ouest* présentée par la France à Nuremberg, Centre de documentation juive contemporaine, Paris, 1947, p. 22 et p. 21.
3. *Ibid.*, p. 29.

rée, de 1942 à 1945, la catégorie pénale de crime contre l'humanité. Les membres de cette bureaucratie exterminatrice, en effet, ne faisaient pas la guerre (Edgar Faure définit, dès Nuremberg, le « traitement » nazi de la question juive comme un *crime gratuit* détaché tout à la fois des nécessités et des horreurs de l'entreprise militaire), mais, en même temps, il était impossible de les juger comme de vulgaires criminels de droit commun : « Si l'expression crime de droit commun a un sens précis, ce sens suppose une insurrection du délinquant contre les forces représentatives de l'ordre social là où il agit. Or, les crimes des dirigeants nazis présentent justement cette singularité d'être commis conformément à un ordre, dans l'exercice même de ces forces[1]. »

A crime singulier, infraction spécifique : apparut ainsi, à côté du crime contre la paix, du crime de guerre et de cet « exercice criminel de la souveraineté personnelle » que constitue le crime de droit commun, le crime contre l'humanité, « exercice criminel de la souveraineté étatique[2] ». Ce fut un immense événement juridique et, pourtant, les Alliés n'inventaient rien : en se référant, par-delà la diversité des droits positifs, à des principes éternels, à des lois de l'humanité applicables par tous les États, les juges de Nuremberg s'inscrivaient dans la tradition classique du droit des gens que Montesquieu définit comme « le droit civil de l'univers, dans le sens que

1. Edgar Faure, *op. cit.*, p. 31.
2. Eugène Aroneanu, *Le crime contre l'humanité*, Dalloz, 1961.

chaque peuple en est un citoyen[1] », et ils reprenaient à leur compte l'article premier du credo des Lumières, c'est-à-dire l'affirmation d'une morale qui vaille « pour les nations et pour les individus; pour les souverains et les sujets; pour le ministre et pour le citoyen obscur[2] ». Cet universalisme n'avait jamais pu, il est vrai, quitter le ciel de la théorie, car il s'était toujours heurté à un autre principe fondateur de la politique moderne : la souveraineté absolue de l'État. N'est-ce pas en invoquant une loi supérieure à l'État que le fanatisme religieux avait plongé l'Europe du XVIe siècle dans un chaos politique total? Et Dieu ayant été mis hors jeu, ne risquait-on pas de ranimer l'esprit de croisade et de retourner à l'anarchie, au nom, cette fois, des grands principes humanitaires? Bref, avant Nuremberg, la pensée européenne était tiraillée entre deux postulations contradictoires : tandis que la part idéaliste d'elle-même en appelait à la conscience universelle pour faire respecter, en toutes circonstances, le droit des gens, sa composante réaliste, issue du champ d'expérience des guerres de religion, veillait à soustraire l'ordre international aux élans, aussi généreux, aussi motivés fussent-ils, de la morale de conviction. D'un côté, l'humanisme juridique faisait progresser l'idée de *jus gentium* jusqu'à obtenir la signature en 1907 de la convention internationale de La Haye sur les lois et coutumes de la

1. *De l'esprit des lois,* 2, Livre XXVI, chapitre I, Garnier-Flammarion, 1979, p. 177.
2. D'Holbach, cité dans Reiner Koselleck, *Le règne de la critique,* Éd. de Minuit, 1979, p. 35.

guerre; de l'autre, le réalisme politique traitait cette déclaration des droits et devoirs des belligérants comme lettre morte, en la privant de tout pouvoir sanctionnateur. Ainsi, après la fin du premier conflit mondial, et malgré le traité de Versailles qui faisait obligation au gouvernement allemand de livrer les personnes accusées de crimes de guerre dont la liste lui serait communiquée, les puissances alliées ont fini par se résigner à voir l'Allemagne organiser elle-même la répression et acquitter, lors des procès de Leipzig, la plupart des inculpés.

Pour le reste, c'est-à-dire pour les crimes d'État qui n'étaient pas spécifiquement des crimes de guerre, l'ardeur justicière que suscitait l'idée de lois de l'humanité s'éteignait, non-ingérence oblige, avant même d'avoir pu engendrer de nouvelles dispositions du droit. En 1915, les gouvernements de la France, de la Grande-Bretagne et de la Russie, profondément choqués par le traitement turc de la question arménienne, avaient certes fait publiquement savoir à la Sublime Porte que la déportation et la mise à mort de ses ressortissants arméniens constituaient des « crimes contre l'humanité et la civilisation » et que seraient tenus « personnellement responsables desdits crimes tous les membres du gouvernement ottoman ainsi que ceux de ses agents qui se trouveraient impliqués dans de pareils massacres [1] ». Mais en dépit de la défaite de la Turquie

1. Cité dans Henri Meyrowitz, *La répression par les tribunaux allemands des crimes contre l'humanité et de l'appartenance à une organisation criminelle*, LGDJ, Paris, 1960, p. 180.

qui s'était engagée dans la guerre aux côtés de l'Allemagne, cette protestation solennelle resta sans lendemain : il n'y eut ni tribunal pour juger les Jeunes-Turcs, ni infraction pour qualifier leurs agissements. *Cujus regio, ejus religio* : A chaque État, sa religion, sa justice, sa police et sa morale.

C'est donc seulement après la Seconde Guerre, et son cortège inouï de monstruosités, que les lois de l'humanité ont fait leur entrée dans le droit positif et que leur violation, comme celle des lois de la guerre, a été réprimée pour la première fois. Deux raisons à cette (relative) intrépidité : l'ampleur du cataclysme, c'est-à-dire *l'ingérence du crime* dans tous les pays de l'Europe occupée ; la méticulosité des nazis, c'est-à-dire la falsification de la morale par le règlement, du légitime par le légal, de la rigueur éthique par la raideur disciplinaire. Puisque la puissance normative de la légalité pouvait aller jusqu'à inverser le « Tu ne tueras point ! » en commandement de participer à un « service public criminel », il fallait combattre ce mal sur son propre terrain, et créer une légalité supérieure. Puisque *l'oubli* des lois de l'humanité dans la satisfaction du devoir accompli ou dans le professionnalisme pouvait se révéler plus meurtrier encore que leur transgression, la nécessité s'imposait de conférer à ces lois un mode d'existence désormais inoubliable : « Il y aura toujours, bien sûr, des hommes de pensée fanatique ou d'instinct tortionnaire ; mais ce que l'on peut éviter, ce que l'on peut prévenir, c'est qu'à tel nouveau fanatisme, le capital,

22

la discipline, la technique viennent subordonner une économie, une armée et une administration. Ce n'est certes pas à l'égard du génie criminel de l'avenir qu'un effet d'information et de prévention peut être exercé, mais il peut l'être sur l'homme moyen complice par faiblesse, par veulerie, ou par une fausse interprétation de ses devoirs d'État. Il faut que cet homme apprenne à réfléchir et à "imaginer" les conséquences que peuvent avoir les actes qu'il commet dans sa routine professionnelle. Il faut qu'il conçoive des valeurs de morale et de justice supérieures à l'autorité étatique dont il dépend. Sans doute les esprits élevés connaissaient d'eux-mêmes la subordination du temporel au spirituel, mais, pour tant d'autres, n'est-il pas important que la justice, non point la justice abstraite, mais la justice positive, tribunal, sentence, châtiment, se soit élevée, une première fois, au-dessus du pouvoir de l'État, non seulement de l'État criminel, mais des États victimes qui ont abdiqué leur pouvoir sanctionnateur en faveur d'un organisme qui les dépasse [1]. »

Homme moyen devenu petit tortionnaire, Barbie ne fut sans doute qu'un sous-ordre, qu'une pièce mineure de l'immense machinerie de mort nazie. Et son défenseur a souligné à juste titre «l'extrême modestie [2]» de son rang, de son rôle, de sa carrière et de son grade. Raison de plus pour s'incliner devant l'entêtement de Beate et Serge Klarsfeld à retrouver

1. Edgar Faure, *op. cit.*, p. 32.
2. Jacques Vergès, *Je défends Barbie*, Jean Piccolec, 1988, p. 22.

Barbie et à le faire traduire devant un tribunal! L'argument de l'insignifiance, loin d'invalider le procès, en est la justification première. Au regard de la cruauté nazie prise en bloc, les bourreaux, pris un par un, apparaissent tous insignifiants, puisque cette cruauté «n'est plus à l'échelle de l'homme, mais à l'échelle de ce qui est hors de l'homme». Et c'est le sens, la portée tout à la fois ontologique et judiciaire de la notion de crime contre l'humanité que de rétablir entre l'homme et le crime le lien rompu par la machine technico-administrative, et que de rappeler, en traitant comme des *personnes* les *rouages* de l'appareil nazi, que le service de l'État n'exonère aucun fonctionnaire d'aucune bureaucratie, ni aucun ingénieur d'aucun laboratoire, de sa responsabilité d'individu.

III

Le quiproquo

Il n'y a donc pas lieu de regretter que Klaus Barbie ait été arraché, même *in extremis,* à la quiétude de sa retraite bolivienne pour être remis aux mains de la justice. Ce qu'on aurait pu, en revanche, légitimement déplorer (mais qui l'a fait?), c'est l'absence d'une juridiction internationale pour statuer sur son cas.

Si, en effet, le crime dont Barbie avait à répondre lèse, comme son nom l'indique, l'ensemble de l'humanité, le jugement aurait dû être rendu par un tribunal parlant au nom du genre humain. Ce raisonnement, qui était celui des Alliés en 1945, conduisait encore, en 1961, le philosophe Karl Jaspers à demander au tribunal de Jérusalem devant lequel comparaissait Eichmann de se déclarer incompétent; tandis que Hannah Arendt écrivait à l'issue du procès que l'État d'Israël aurait dû, au lieu d'exécuter la sentence, « offrir » son prisonnier aux Nations unies : cadeau certes encombrant, qui aurait provoqué un « beau tapage », mais qu'il fallait faire pour empêcher la communauté universelle de se laver les mains d'Eichmann, pour lui rappeler que la volonté de faire disparaître un peuple particulier l'avait atteinte tout entière, et pour ne pas contribuer soi-même à réduire la portée de l'entreprise nazie : « le caractère monstrueux des crimes commis est minimisé, en quelque sorte, du fait que le tribunal d'une seule nation est appelé à le juger [1] ».

Il est vrai que Barbie a, contrairement à Eichmann, perpétré la plupart de ses forfaits dans un pays déterminé. Et la « Déclaration sur les atrocités » signée le 30 août 1943 à Moscou par l'Union soviétique, les États-Unis et la Grande-Bretagne stipulait que ce type d'activités délictueuses était de la compétence judiciaire et législative de l'État lésé, seuls devant être punis « par une décision commune des gouvernements alliés » les criminels dont « les crimes étaient sans localisation géographique précise [2] ». Mais cette objection ne vaut pas pour le procès de Lyon. La plupart de ses actions purement locales étant prescrites, Barbie a été déféré, en 1987, devant une cour française pour son rôle dans la déportation de Juifs et de résistants, c'est-à-dire dans un processus criminel qui ne s'est pas limité au territoire français. Si donc la France vient de vivre son premier procès pour crime contre l'humanité, c'est bien *à défaut* d'une justice pénale internationale.

1. Hannah Arendt, *Eichmann à Jérusalem,* Gallimard, 1966, p. 297.
2. Déclaration de Moscou, citée dans Jacques-Bernard Herzog, *Nuremberg : un échec fructueux?,* Librairie générale de droit et de jurisprudence, Paris, 1975, p. 50.

Personne, cette fois, ne s'en est ému. Quel fiasco, pourtant! D'abord, ce n'est pas l'humanité qui juge et sanctionne les nazis, mais seulement leurs victimes. Ensuite et surtout, les autres «services publics criminels» n'ont rien à craindre du droit. Le programme kantien d'une «justice internationale des droits de l'Homme[1]» n'a pas été réalisé : nulle autorité supérieure, nul organisme transétatique ne dissuade aujourd'hui l'homme ordinaire de prêter au crime nationalisé le concours de ses vertus. Les Arméniens luttent toujours, soixante-dix ans après les faits, pour la reconnaissance internationale de leur génocide; la dékoulakisation en Ukraine n'est un crime contre l'humanité que dans les romans de Vassili Grossmann ou de Vassil Barka, les massacres du Bangladesh et le génocide biafrais ne sont sortis de l'actualité que pour sombrer dans un oubli total. Quant aux Khmers rouges, bien que vaincus et chassés du pouvoir par les Vietnamiens, ils continuent à siéger, en toute impunité et sous le nom de Kampuchéa démocratique, dans les instances internationales.

Bref, ce sont aujourd'hui les juridictions nationales qui appliquent la catégorie de crime contre l'humanité aux nazis et à eux seuls. Ce qui veut dire qu'après la disparition des derniers survivants du Troisième Reich, l'inculpation tombera en désuétude, sans que la pratique criminelle ait été abandonnée pour autant.

1. Edgar Faure, *op. cit.,* p. 32.

Loin d'être affectés par cette impuissance, nombre de Juifs et d'amis des Juifs y voient l'hommage de la justice au caractère unique de ce qu'on appelle désormais la *Shoah*. Et il est indéniable que la mise à mort des Juifs par les nazis reste un assassinat sans équivalent dans l'histoire, car jamais auparavant et jamais depuis lors «un État n'a décidé et annoncé sous l'autorité de son responsable suprême qu'un certain groupe humain devait être exterminé, autant que possible dans sa totalité, les vieux, les femmes et les nourrissons inclus, décision que cet État a ensuite appliquée avec tous les moyens qui étaient à sa disposition[1]». Les Juifs formant un peuple diasporique, c'est-à-dire dispersé sur toute la surface du globe, le projet nazi avait, par surcroît, une dimension planétaire. Il n'a pas pu être mené complètement à bien; seuls, si l'on ose dire, ont été touchés les Juifs d'Europe, mais, comme l'a écrit Saul Friedländer, «à partir du moment où un régime décide, en se fondant sur n'importe quel critère, que des groupes doivent être annihilés entièrement *et ne sont plus autorisés à jamais à vivre sur la terre,* un pas fondamental a été franchi. Et je pense que dans l'histoire moderne, cette limite ne fut atteinte qu'une fois : par les nazis[2]».

1. Eberhard Jäckel, in *Devant L'histoire, Les documents de la controverse sur la singularité de l'extermination des Juifs par le régime nazi,* Cerf, 1988, pp. 97-98.
2. Saul Friedländer, «Réflexions sur l'historisation du national-socialisme», in *Vingtième siècle,* revue d'histoire, Presses de la fondation nationale des sciences politiques, n° 16, octobre-décembre 1987, p. 54.

C'est d'ailleurs cette unicité, cette incommensurabilité, cette singularité absolue qui a conduit la société internationale à surmonter son réalisme politique et à forger une qualification nouvelle. C'est bien parce que la prétention à « décider qui doit et ne doit pas habiter cette planète[1] », la légalité du massacre et le traitement industriel des victimes brisaient tout repère, défiaient toute norme connue, que la référence jusqu'alors purement platonique aux lois de l'humanité a reçu un caractère strictement obligatoire. Par ce geste capital, la civilisation refusait de s'accommoder plus longtemps de la violation de ces lois en la mettant au compte soit de l'intouchable souveraineté de l'État soit des inévitables horreurs de la guerre. Au lendemain de la victoire, le sentiment prévalait qu'on ne pouvait plus, sous peine de mort spirituelle, passer les atteintes à l'humanité aux profits et pertes de la vie internationale.

Mais trouver légitime, un demi-siècle plus tard, que les nazis monopolisent encore l'incrimination issue de leurs forfaits, et dire, comme certains, qu'étant un événement unique, la destruction des Juifs d'Europe représente l'unique crime jamais perpétré contre l'humanité, c'est commettre un énorme contre sens : c'est confondre l'inscription des lois de l'humanité dans le droit avec l'apparition du crime contre l'humanité dans l'histoire, et c'est interpréter comme une marque de vigilance l'échec patent de la société internationale à instituer une communauté

1. Hannah Arendt, *Eichmann à Jérusalem, op. cit.,* p. 305.

universelle en créant la juridiction répressive devant laquelle les criminels d'État pourraient avoir à répondre de leurs actes; c'est, avec la plus parfaite bonne foi, renverser en promesse tenue l'espérance trahie de Nuremberg; c'est donner au cynisme ou à l'infirmité l'aura de la mémoire et du scrupule; c'est prendre un droit sans glaive pour une justice intransigeante, un aveu de faiblesse pour une position de principe, et l'éclatement de l'humanité pour un succès de la conscience collective; c'est, d'un mot, transmuer en consécration de la *Shoah* la débâcle de la civilisation qui se produit aujourd'hui sous nos yeux.

Ce quiproquo, cependant, est excusable, ce paralogisme a des circonstances atténuantes. On aurait une peur moins panique de la *banalisation* et on défendrait mieux la centralité d'Auschwitz, si on n'était sans cesse acculé à la défensive par tous les discours qui, sous prétexte de dénoncer les atrocités actuelles ou de rétablir les résistants dans leurs droits de victimes, défont les distinctions capitales esquissées à Nuremberg. L'oubli nous menace moins, en cette matière, que la confusion ou l'intempérance verbale, c'est-à-dire l'usage à tout propos des mots de nazi ou de génocide. S'il me fallait résumer d'une formule le procès Barbie, je dirais qu'il donna lieu à des manœuvres convergentes et insistantes pour opposer à une fausse victoire de la mémoire un élargissement truqué du crime contre l'humanité.

IV

Le Héros et la Victime

C'est à Trebinzia, un petit village polonais situé entre Cracovie et Katowice, que Primo Levi qui venait d'être libéré d'Auschwitz par l'armée soviétique eut, pour la première fois, l'occasion de transmettre l'expérience qu'il venait de vivre :

Peut-être étais-je un des premiers hommes-zèbres à apparaître en ces lieux : je me trouvai immédiatement encerclé par une foule de curieux qui m'interrogeaient avec volubilité en polonais. Je répondis de mon mieux en allemand; et au milieu du petit groupe d'ouvriers et de paysans s'avança un bourgeois avec un chapeau de feutre, des lunettes et une serviette de cuir à la main : un avocat.

Il était polonais, parlait bien le français et l'allemand, il était très courtois et bienveillant : bref, il possédait toutes les qualités requises pour qu'après l'interminable année d'esclavage et de silence, je reconnusse enfin en lui le messager, le porte-parole du monde civilisé : c'était le premier que je rencontrais.

J'avais une masse de choses urgentes à raconter au monde entier, choses privées mais universelles, choses

35

de sang qui auraient dû, me semblait-il, ébranler toutes les consciences dans leurs fondements. L'avocat était courtois et affable : il m'interrogeait et je parlais vertigineusement de mes expériences si récentes, d'Auschwitz si proche et qui semblait pourtant inconnu de tous, de l'hécatombe à laquelle j'avais été le seul à échapper, de tout. L'avocat traduisait en polonais pour le public. Je ne connais pas le polonais mais je sais comment on dit « Juif » et « politique » et je m'aperçus bien vite que la traduction de mon interprète bien que sympathisante n'était pas fidèle. L'avocat me décrivait au public non pas comme un Juif mais comme un prisonnier politique italien [...].

J'avais, nous avions tous rêvé de quelque chose de ce genre pendant les nuits d'Auschwitz : de parler, et de ne pas être écoutés, de retrouver la liberté et de rester seuls. En peu de temps, je restai seul avec l'avocat ; quelques minutes plus tard, il me quitta lui aussi, en s'excusant poliment [1].

Ne pas croire qu'une telle fin de non-recevoir ait été propre à la Pologne. En France aussi ceux qu'on appelait « les déportés raciaux » pour les distinguer des combattants volontaires de la Résistance furent accueillis avec une certaine gêne. Présents dans les tous premiers défilés qui suivirent la Libération, les « hommes-zèbres », comme dit Primo Levi, disparurent très vite des commémorations officielles et aucune victime juive de l'univers concentrationnaire nazi ne figurait parmi les quinze dépouilles mortelles symboliquement réunies autour de la flamme du Sol-

1. Primo Levi, *La trêve*, Grasset, 1966 et 1988, pp. 61-62.

dat inconnu, le 11 novembre 1945. Le choix gouvernemental s'était porté tout naturellement sur deux résistants de l'intérieur (un homme et une femme), deux déportés pour faits de résistance (un homme et une femme également), un prisonnier abattu lors d'une évasion, et enfin neuf militaires des différentes armes et théâtres d'opérations [1]. Et ce n'est qu'en 1954 que fut instaurée une journée nationale de la déportation.

Certes la France n'était pas comme la Pologne en proie à un antisémitisme persistant, mais elle vivait à l'heure des héros et non à celle des victimes. La conscience collective était trop occupée à se refaire une vertu et à effacer dans la fiction d'un peuple unanimement dressé contre l'Ennemi la peu glorieuse réalité de l'Occupation pour prêter attention à la spécificité du génocide. Il y avait ainsi décalage entre l'esprit de Nuremberg et l'état de l'opinion. Les Alliés, qui avaient inscrit dès 1941 le châtiment des responsables nazis parmi leurs objectifs prioritaires, furent amenés comme malgré eux, et sous le choc des horreurs enregistrées tout au long du conflit, à distinguer des crimes de guerre proprement dits une autre catégorie d'atrocités qui n'étaient pas liées à la bataille, qui ne s'exerçaient pas sur les partisans ou sur les armées ennemies, et qu'ils appelèrent d'abord « crimes d'occupation », « crimes contre l'ordre public international », puis, pour finir, « crimes contre l'humanité ». Mais la France reconsti-

1. Henry Rousso, *Le syndrome de Vichy*, Seuil, 1987, p. 35.

tuait son identité nationale autour de l'épopée gaulliste et des soldats de l'ombre morts pour la patrie, c'est-à-dire – traduit en langage juridique – dans le refoulement des crimes contre l'humanité par les crimes de guerre.

Les résistants eux-mêmes, qui étaient légitimement fiers d'avoir pris les armes contre l'occupant, ne voulaient pas être confondus avec ceux que leur être et non leurs actes avait conduits à Auschwitz ou à Buchenwald. Retour des camps, ils tenaient pour la plupart à souligner qu'ils avaient payé pour un engagement, pas pour une appartenance. La déportation ne s'était pas abattue sur eux comme une fatalité, mais en représailles à leurs activités antiallemandes. Ils l'avaient mérité en quelque sorte, et pouvaient d'autant plus s'en prévaloir que ce n'étaient pas les nazis qui avaient décidé de leur destin : ils s'étaient d'eux-mêmes, en toute connaissance de cause, exposés au risque de l'emprisonnement, de la torture et de la mort. Une implicite hiérarchie de l'horreur opposait ainsi la mort individuellement encourue à la mort collectivement administrée, l'épreuve affrontée à la sentence acceptée, et le courage des uns à la souffrance passive des autres. Lorsqu'en 1964 le jeune écrivain juif J.F. Steiner écrivit un livre sur la révolte qui éclata en août 1943 dans le camp de Treblinka pour exorciser, selon ses propres termes, «la honte d'être l'un des fils de ce peuple dont, au bout du compte, six millions de membres se sont laissé mener à l'abattoir comme des moutons», il obtint le grand prix de la Résistance, malgré la douleur et l'indignation suscitées par de tels propos dans la communauté juive [1].

S'il y eut donc silence des «déportés raciaux» dans les années qui ont suivi la guerre, ce n'est pas, comme le veut un cliché mélodramatique et menteur, parce qu'ils ne pouvaient pas parler, mais parce qu'on ne voulait pas les entendre. Gare au pathos de l'ineffable! Les survivants de la solution finale n'étaient pas réduits à l'aphasie par un malheur sans nom, par une expérience que nul mot n'aurait pu rendre, ils avaient, au contraire, un irrépressible besoin de témoigner, ne fût-ce que pour acquitter par le récit leur dette envers les morts. Manquait l'auditoire : «A peine commencions-nous à raconter, a dit récemment Simone Veil avec une colère intacte, que nous étions interrompus comme des enfants excités et trop bavards par des parents accablés, eux, de vrais soucis [2]. »

On n'en est plus là : les historiens ont irrémédiablement brouillé l'image édifiante et mythique d'un peuple de partisans, et «dans le même temps où les résistants se faisaient oublier, leurs rangs fondant avec les années [3]», la communauté juive apprenait à

1. Henry Rousso, *op. cit.*, p. 179.
2. Ces paroles ont été prononcées dans le cadre des journées d'études sur «La politique nazie d'extermination» organisées à la Sorbonne les 11, 12 et 13 décembre 1987.
3. Jean-Marc Théolleyre, «Crimes de guerre et crimes contre l'humanité» in *Le Procès de Klaus Barbie*, *Le Monde*, numéro spécial, juillet 1987, p. 6.

voir dans le génocide tenté contre elle un élément constitutif de son identité. Un très ancien principe aristocratique – encore actif dans nos sociétés – veut certes que la gloire d'un homme rejaillisse sur ses descendants, mais même si les enfants des résistants, légitimement fiers de l'engagement de leurs pères, s'efforcent d'en perpétuer le souvenir, ils ne sont pas eux-mêmes des résistants, alors que les enfants des Juifs sont juifs. Cette différence existentielle (qui n'est aucunement une supériorité) ne pouvait manquer, avec le temps, d'influer sur la sensibilité collective.

Pour toutes ces raisons, le prestige des combattants n'occulte plus le désastre des innocents, la commémoration de la Résistance a cessé de recouvrir ou de minoriser le souvenir de l'extermination. L'embarras, l'impatience ou la condescendance qui accueillaient les premiers récits de Simone Veil ou de Primo Levi ont laissé place à la disponibilité et à l'émotion. On peut même dire qu'avec *Shoah*, le film de Claude Lanzmann, les victimes ont été admises dans la conscience nationale au même titre, au même rang que les héros.

Mais la compétition des mémoires n'est pas finie pour autant. Elle a même été réactivée par le procès Barbie. Dans un premier temps, on s'en souvient, le magistrat chargé de l'instruction du dossier, M. Christian Riss, n'avait retenu que les crimes contre les Juifs et prononcé des non-lieux pour toutes les actions contre les résistants. Ces faits constituaient, à ses yeux, des crimes de guerre, prescrits en France depuis 1964. La chambre d'accusation de Lyon confirma d'abord cette thèse, mais certaines associations de résistants s'étant portées parties civiles, la chambre criminelle de la Cour de cassation opta, le 20 décembre 1985, pour une interprétation moins restrictive, ou selon le mot de l'avocat général M. Henri Dontenwille, moins «frileuse» du crime contre l'humanité. Entraient désormais dans cette catégorie pénale «les actes inhumains et les persécutions qui, au nom d'un État pratiquant une politique d'hégémonie idéologique, ont été commis de façon systématique non seulement contre des personnes en raison de leur appartenance à une collectivité raciale ou religieuse, mais aussi contre les adversaires de cette politique, quelle que soit la forme de leur opposition».

Juridiquement, cet arrêt n'était ni plus ni moins fondé que celui de la chambre d'accusation de Lyon. Pour des raisons que l'on analysera plus loin, nulle doctrine claire ne peut être, en effet, tirée de l'accord signé à Londres pour assurer «la poursuite et le châtiment des grands criminels des Puissances de l'Axe». Tout en énumérant avec solennité les trois grandes infractions soumises à la juridiction de Nuremberg, ce texte ne trace pas de frontière nette et indiscutable entre les crimes de guerre et les crimes contre l'humanité [1].

1. L'article 6 b) du Statut du tribunal militaire international décrit comme étant des crimes de guerre «l'assassinat, les mauvais traite-

Conjoncturellement, la décision des magistrats suprêmes était bienvenue : en donnant le statut de crime contre l'humanité aux traitements les plus abominables infligés aux résistants, la Cour de cassation évitait de justesse qu'une cour d'assises française n'eût à juger celui qu'on appelait le « boucher de Lyon » sur les lieux de ses méfaits, sans pouvoir même mentionner les actes auxquels il devait son surnom et sa place dans la mémoire nationale. Et puisque la déportation de six cent cinquante personnes le 11 août 1944 (soit trois semaines avant la Libération) figurait parmi les charges retenues contre Barbie, le tribunal se trouvait ainsi providentiellement dispensé d'opérer un tri morbide entre les déportés imprescriptibles et les déportés prescrits.

Reste qu'il y a quelque chose de paradoxal à voir les associations de résistants militer pour l'extension

ments ou la déportation pour des travaux forcés ou pour tout autre but, des populations civiles dans les territoires occupés, l'assassinat ou les mauvais traitements des prisonniers de guerre ou des personnes en mer, l'exécution des otages, le pillage des biens publics ou privés, la destruction sans motif des villes et des villages ou la dévastation que ne justifient pas les exigences militaires ».

L'article 6 c) fait entrer dans la catégorie du crime contre l'humanité « l'assassinat, l'extermination, la réduction en esclavage, la déportation, et tout acte inhumain commis contre toutes populations civiles, avant ou pendant la guerre, ou bien les persécutions pour des motifs politiques, raciaux ou religieux lorsque ces actes ou persécutions, qu'ils aient constitué ou non une violation du droit interne du pays où ils ont été perpétrés, ont été commis à la suite de tout crime entrant dans la compétence du Tribunal ou en liaison avec ce crime ». Henri Meyrowitz, *op. cit.*, pp. 480-481.

du crime contre l'humanité et revendiquer aujourd'hui le statut qu'elles rejetaient hier : « Nous, les victimes, nous n'avons jamais demandé à être considérées comme des héros, a dit encore Simone Veil, alors pourquoi faut-il maintenant que les héros veuillent à tout prix et au risque de tout mélanger, être traités en victimes ? » Est-ce parce que le classement symbolique des crimes de guerre et des crimes contre l'humanité s'est subrepticement inversé depuis que les seconds seulement sont imprescriptibles ?

Reste aussi qu'à tirer argument du flou diplomatique de l'accord de Londres, on ne rend pas vraiment justice à la pensée qui a donné naissance au tribunal de Nuremberg, et dont témoigne, entre autres, l'acte d'accusation français : « A différentes époques on a vu des répressions sanglantes dirigées contre des " adversaires ". On a vu, également, des violences gratuites commises par des soudards et des brutes agissant dans le désordre de leurs instincts. Mais jamais on n'avait vu ou pu voir la préparation scientifique d'un massacre absolument inutile et immotivé [1]. »

Malgré la décision des juges, plusieurs témoignages sont venus ratifier, durant le procès, ce point de vue « restrictif« ou « frileux ». Ce fut d'abord André Frossard qui s'employa tout au long de sa déposition (et plus tard dans un petit livre lumi-

1. Edgar Faure, *op. cit.*, p. 28.

neux[1]) à réfuter l'arrêt de la Cour de cassation en rappelant qu'il n'y a pas d'anciens combattants d'Izieu et en fixant, par un récit, la spécificité irréductible du crime contre l'humanité : « Il y avait là un Juif, un brave homme, bon, mais qu'un sous-officier SS avait pris pour sa tête de Turc. Et ce sous-officier décida un beau jour de lui faire réciter en allemand cette phrase : "Un juif est un parasite, il vit sur la peau du peuple aryen." Le malheureux ne connaissant pas l'allemand, n'y parvenait pas, alors il était à chaque faute frappé à coups de poing, à coups de pied. Finalement il est parvenu à apprendre la phrase, et alors, dès qu'il entendait son bourreau ouvrir la porte, il la récitait de lui-même. Et le jour où il fut appelé pour être fusillé, le SS lui fit encore réciter l'horrible phrase. C'était cela. Un seul grief suffisait : être né juif[2]. »

Ce fut ensuite Mme Alice Vansteenberghe, infirme depuis son « interrogatoire » par Barbie – « le matin, j'étais partie dans l'euphorie de mon corps vivant ; je n'ai jamais retrouvé cette sensation ; je n'ai jamais plus pu marcher » – qui déclara, prenant à contre-pied les associations de résistants : « Nous dans la Résistance, nous savions les risques que nous prenions et j'assume tout ce que j'ai subi. Mais dans cette cellule où l'on m'avait jetée, il y avait d'autres gens. J'ai vu une femme juive et son enfant, bien soigné,

1. André Frossard, *Le crime contre l'humanité*, Laffont, 1987.
2. Audience du 25 mai, cité par J.-M. Théolleyre, *Le Monde, op. cit.*, p. 10.

tout blond, avec une barrette dans les cheveux. Eh bien! Barbie est entré un jour, et il est venu arracher cette mère à son enfant. Ça ce n'est pas la guerre, c'est quelque chose d'immonde[1]. »

Il y a *le monde*, en effet, dont la guerre fait encore partie, et il y a *l'immonde*. Ce n'est pas la même chose d'être un ennemi, et d'être un gibier. Dans le premier cas, le monde est encore un monde, car on demeure maître de ses choix. Au sein de la non-liberté on reste libre de donner ou non à sa vie un sens politique, par l'engagement; éthique, par le don de soi; épique, par l'assomption du risque mortel. Même soumis à l'état d'exception, même déchu de tout droit, privé des garanties élémentaires, on peut attester son humanité dans l'action: «Si j'en réchappe, écrivait René Char en 1944 dans les *Feuillets d'Hypnos*, je sais que je devrai rompre avec l'arôme de ces années essentielles, rejeter (non refouler) silencieusement loin de moi mon trésor, me reconduire jusqu'au principe de comportement le plus indigent, comme au temps où je me cherchais sans jamais accéder à la prouesse[2]. » Et le 3 juin 1987, Mme Vansteenberghe confirmait cette nostalgie pré-monitoire en évoquant «l'élite à caractère très exceptionnel que constituait l'armée irrégulière de la Résistance» et les liens indestructibles que l'action commune avait noués «entre le petit mécanicien et

1. Audience du 3 juin 1987, *Ibid.*, p. 22.
2. René Char, *Fureur et mystère*, Gallimard, Coll. Poésie, 1967, pp. 137-138.

le professeur d'université, en passant par l'instituteur et le médecin [1] ».

Dans le deuxième cas, les années n'ont pas d'arôme, car le monde n'est plus un monde mais un piège : on n'expie pas ses actes, mais sa naissance ; on ne choisit pas la survie ou le risque, la tranquillité ou le refus, on est choisi et dépossédé de sa vie avant même d'avoir pu décider ce qu'on ferait d'elle. Si l'on en réchappe, le bonheur d'être vivant se confond avec celui de réintégrer toutes les dimensions, toutes les prérogatives de la condition humaine : l'inauthenticité *et* l'authenticité, les pantoufles et la prouesse, la quotidienneté bourgeoise et l'audacieuse liberté des agissants.

Ce pourquoi il sera toujours déplacé d'opposer l'héroïsme des Juifs qui se sont révoltés contre le processus de destruction au légalisme de ceux qui ont facilité la tâche des nazis en respectant scrupuleusement leurs directives, comme une attitude de résistance à une attitude de collaboration. Outre le problème moral que pose le fait d'enseigner rétrospectivement (et confortablement) aux condamnés la meilleure façon de mourir, les mêmes mots ne peuvent être indifféremment employés pour la guerre et pour le génocide, sauf à réintroduire du monde dans l'immonde, et du jeu dans la situation sans issue des Juifs européens entre 1939 et 1945.

Souvenons-nous des derniers mots de Klaus Bar-

1. Audience du 3 juin 1987, *Procès Barbie, l'Agence France Presse raconte*, AFP, 1987, p. 142.

bie. Conduit de force à l'ultime audience de son procès, il lui fut demandé, à la fin des débats et selon l'usage, s'il avait quelque chose à ajouter. Comme il avait choisi jusqu'alors l'absence ou le silence, on s'attendait à ce qu'il déclinât d'un « *Nichts zu sagen!* » hautain cette rituelle invitation. Mais, dérogeant pour une fois à son propre système de défense, il se leva et, dans un français impeccable, il dit : « Je n'ai jamais commis la rafle d'Izieu. Je n'ai jamais eu le pouvoir de décider des déportations. J'ai combattu la Résistance, que je respecte, avec dureté, mais c'était la guerre, et la guerre est finie [1]. »

Déclaration peut-être tactique et sans doute mensongère, mais ce n'est pas la sincérité de Barbie qui importe en l'occurrence, c'est le fait de le voir, lui, le nazi impénitent, rétablir une distinction pénale et ontologique que la justice avait supprimée, en croyant bien faire.

Dans cet étrange procès, ce sont les résistants et non les représentants officiels de la Résistance, l'accusé et non la Cour qui ont donné la définition rigoureuse du crime contre l'humanité.

---

1. Audience du 3 juillet, *Le Monde, op. cit.*, p. 40.

V

Blancs bagnards et bourreaux blancs

Quelques voix discordantes ont donc fait resurgir dans le prétoire le débat que les juristes avaient voulu trancher avant le commencement du procès. Mais à quoi bon? De quelle utilité, de quelle portée pouvaient être ces témoignages et la contradiction qu'ils apportaient à la version officielle du crime contre l'humanité, dès lors que l'humanité matérielle, l'humanité en chair et en os faisait faux bond aux juges et au procureur, destituait ceux qui parlaient en son nom, et poussait même le sarcasme jusqu'à choisir ostensiblement ses assassins désignés contre ses porte-parole? S'il est vrai, comme l'a écrit Durkheim, qu'« un acte est criminel quand il offense des états forts et définis de la conscience collective », la présence sur les bancs de la défense de Mᵉˢ Jacques Vergès, Nabil Bouaïta et Jean-Martin M'Bemba disait à elle seule que l'extermination des Juifs était un crime d'intérêt local, une goutte de sang européen dans l'océan de la souffrance humaine, et n'offensait, par conséquent, que la conscience des Blancs.

Essayez une seconde d'imaginer qu'à Nuremberg les avocats des nazis aient plaidé pour leurs clients (c'est-à-dire, entre autres, Goering, Bormann, Frank, Rosenberg, Kaltenbrunner, Julius Streicher) en citant le *Voyage au Congo* d'André Gide et en invoquant avec flamme leur propre expérience du racisme ou du colonialisme européen. Cette scène grotesque est proprement irreprésentable. Elle a pourtant eu lieu, quarante ans après, et sans faire trop de vagues, au Palais de Justice de Lyon. Le procès Barbie n'a donc pas été, comme l'ont dit la plupart des commentateurs, la continuation exemplaire du procès de Nuremberg. Par la spectaculaire collusion de représentants du tiers monde avec un tortionnaire nazi, il en a été, au contraire, la dérision et il a frappé de nullité ce constat établi par la communauté internationale à l'issue de la victoire sur les nazis : l'humanité *aussi* est mortelle.

Avant Hitler, la confiance régnait : on ne croyait pas que l'humanité pût mourir. Certes, disait la métaphysique courante, les individus meurent, ils meurent seuls ou en masse, de mort violente ou naturelle, de maladie ou dans un accident, mais l'espèce humaine repousse, comme les autres espèces vivantes – « en tout temps, la plante verdit et fleurit, l'insecte bourdonne, l'animal et l'homme subsistent dans leur indestructible jeunesse et nous retrouvons chaque été à nouveau les cerises déjà mille fois dégustées [1] » – et, par surcroît, l'histoire humaine avance. Les hommes avaient conscience de leur finitude, ils se savaient mortels; ils savaient aussi, depuis toujours, que la vie ne s'arrêtait jamais, et, depuis qu'avec l'entrée dans les Temps modernes ils avaient renversé le rapport aux Anciens – considérant ceux-ci non plus comme des Pères mais comme des enfants « véritablement nouveaux en toutes choses [2] » –, ils pensaient que l'humanité s'était arrachée à son recommencement éternel, pour s'épanouir de siècle en siècle et parvenir ainsi, selon une trajectoire dialectique ou rectiligne, à la maîtrise totale de son propre destin.

La mort faisait en quelque sorte deux poids deux mesures. Elle fauchait impitoyablement les existences singulières: « le dernier acte est sanglant, quelque belle que soit la comédie en tout le reste; on jette enfin de la terre sur la tête, et en voilà pour jamais [3] »; mais elle épargnait l'humanité: « ... Toute la suite des hommes pendant le cours de tous les siècles doit être considérée comme un même homme qui subsiste toujours et qui apprend continuellement [4] ». Ainsi tout le monde mourait, et rien ne mourait. Chacun – peuple ou personne – laissait un héritage que d'autres, après lui, recueillaient et fai-

1. Schopenhauer, *Le monde comme volonté et comme représentation*, PUF, 1966, p. 1222.
2. Pascal, « Préface au Traité du vide », in *De l'esprit géométrique, Écrits sur la Grâce et autres textes*, GF, Flammarion, 1985, p. 62.
3. Pascal, *Pensées*, n° 210, éd. Brunschvicg, Garnier, 1964, p. 131.
4. Pascal, « Préface au Traité du vide », *op. cit.*, p. 62.

saient fructifier; la sagesse des civilisations défuntes passait dans celles qui prenaient la relève, et l'homme, s'il succombait en détail, faisait, pris en bloc, un continuel progrès. Chose fugace et périssable, il appartenait simultanément à une totalité en mouvement, perfectible et immortelle. Son humanité, au sens de nature humaine (par opposition à la divinité) ou de vertu de douceur (par opposition à l'inhumanité), se résorbait dans l'Humanité, au sens d'être générique et universel. Ses actes, ses entreprises, ses inventions contribuaient, malgré qu'il en eût, à l'œuvre collective. Son individualité séparée était prise en charge par un Sujet transcendantal et unificateur, une sorte de Moi englobant dont la marche prométhéenne enjambait fougueusement les générations.

Dans cette perspective évolutionniste ou révolutionnaire, le droit des gens pouvait bien être bafoué ici ou là, ces accrocs déplorables ne remettaient jamais en cause le mouvement positif de la civilisation. Même si, juridiquement et moralement, il arrivait à l'humanité de sortir de ses gonds, historiquement, elle ne cessait d'aller de l'avant, de progresser dans l'accomplissement de sa vocation, de poursuivre, avec une inlassable énergie, sa route vers le savoir exhaustif et vers le mieux-être. Ce qui, du point de vue de la sensibilité, était un scandale injustifiable, apparaissait, dès qu'on prenait le point de vue du devenir, comme un accident sans gravité, sinon comme une ruse de la Raison qui gouverne

souterrainement l'ordre des choses : sous les appa-
rences désastreuses de la violence ou de la barbarie,
les passions humaines portaient le destin des fins
supérieures et témoignaient du rôle joué par l'inso-
ciabilité humaine dans la carrière même de l'humanité : « Il n'est pas vrai que la ligne droite soit toujours le plus court chemin » avait prévenu Lessing
dans *L'éducation du genre humain*; l'histoire, autrement dit, progressait aussi par ses mauvais côtés, et
elle ne contrevenait aux exigences universelles qui
définissent l'humanité, que pour mieux accoucher
ensuite d'une humanité réellement et universelle-
ment humaine. Le cortège triomphal de l'histoire
passait ainsi au-dessus de ceux qui jonchent le sol [1], le
sang des victimes s'asséchait dans le *sens* du devenir,
les tragédies particulières étaient réparées par l'épopée universelle, les œufs cassés faisaient toujours une
belle omelette. Bref, l'idée d'humanité éludait
l'âpreté du réel et consolait plus efficacement du mal
que toutes les théodicées anciennes.

A Nuremberg, cette consolation a cessé d'opérer.
Le réalisme historique y a été dénoncé au même titre
que le réalisme politique. Si la parole a été alors don-
née aux juristes et aux magistrats, c'est qu'il n'était
pas davantage possible « d'enregistrer les camps de la
mort comme des accidents du travail dans l'avancée
victorieuse de la civilisation [2] » que de s'y résigner au

1. J'emprunte cette expression aux *Thèses sur la philosophie de l'histoire* de Walter Benjamin.
2. Adorno, *Minima Moralia*, Payot, 1980, p. 218.

nom du fait que les relations entre États sont régies par la puissance et non par le droit. Comment d'ailleurs persister à convertir la souffrance en raison et oublier les hommes qui meurent au profit de l'homme qui marche, quand c'est cette marche en avant qui avait rendu possible cette mort industrielle? Rien de plus policé, de plus méthodique, de plus moderne que la solution finale. Cette «entreprise criminelle contre la condition humaine [1]» n'a pas surgi du fond des âges pour défaire convulsivement le patient travail de la civilisation. Dans ce déchaînement d'une cruauté sans limites, le progrès se trouvait impliqué sous sa forme aussi bien technique (sophistication de la machine de mort) que morale (domestication des pulsions, soumission de la volonté à la loi).

«Nous avons vu, de nos yeux vu, écrivait Valéry au lendemain de la Première Guerre mondiale, le travail consciencieux, l'instruction la plus solide, la discipline et l'application les plus sérieuses adaptés à d'épouvantables desseins [...]. Tant d'horreurs n'auraient pas été possibles sans tant de vertus. Il a fallu sans doute beaucoup de science pour tuer tant d'hommes, dissiper tant de biens, anéantir tant de villes en si peu de temps, mais il a fallu non moins de qualités morales. Savoir et Devoir, vous êtes donc suspects [2]?» En 1945, ce soupçon devenait certitude : la vie assurément avait repris son cours affairé, mais

---

1. Edgar Faure, *op. cit.*, p. 24.
2. Valéry, « La crise de l'esprit », in *Variété I,* Gallimard, Coll. Idées, 1978, p. 15.

le progrès ne faisait plus passer les victimes et l'histoire cessait d'être ce dessin animé dont le héros meurtri, mutilé, désarticulé, écrasé, se relevait toujours intact, sinon augmenté, pour continuer sa palpitante aventure. Le coup, cette fois, était reconnu comme mortel : de quelque côté qu'on l'envisage, *le crime était un meurtre*. Le genre humain avait été pour toujours appauvri par la destruction du monde juif européen. Une catastrophe avait eu lieu dont nulle logique n'était en mesure d'effacer ou d'atténuer le caractère irrévocable. C'est pourquoi, au lieu que l'humanité continuât son chemin sans s'éterniser auprès des blessures infligées aux individus, les hommes eux-mêmes décidaient de s'éterniser auprès de la blessure que le nazisme avait infligée à l'humanité [1].

Et le dogme de l'autoeffectuation de l'humanité dans l'histoire n'était pas seulement réfuté par l'ampleur et la minutie du crime ; il était aussi compromis dans le discours des bourreaux. Comme le remarque justement Jankélévitch, l'extermination des Juifs « a été doctrinalement fondée, philosophiquement expliquée, méthodiquement préparée par les doctrinaires les plus pédants qui aient jamais existé [2] ». Les nazis, en effet, n'étaient pas des brutes, mais des théoriciens. Ce n'est pas à l'instinct sanguinaire, à l'intérêt économique ou politique, ou encore au préjugé qu'ils ont sacrifié tout scrupule. On peut

1. « La raison ne peut pas s'éterniser auprès des blessures infligées aux individus, car les buts particuliers se perdent dans le but universel », Hegel, *La raison dans l'Histoire*, 10/18, 1965, p. 68.
2. V. Jankélévitch, *L'Imprescriptible*, Seuil, 1986, p. 43.

57

dire, à l'inverse, que les objections et les scrupules de l'intérêt, de la pitié instinctive et du préjugé ont été immolés sur l'autel de leur philosophie de l'histoire : « C'est donc une conception erronée et stupide, disait dès 1910 Theodor Fritsch dans son *Catéchisme de l'antisémite,* que d'expliquer l'opposition au judaïsme par l'émanation d'une stupide haine raciale et religieuse, alors qu'en vérité il s'agit d'un combat désintéressé animé par les idéaux les plus nobles contre un ennemi de l'humanité, de la morale et de la culture [1]. » Fidèles disciples de cet antisémitisme bénévole, les nazis ont eu le sentiment d'accomplir une mission spirituelle en prenant ce que Himmler a appelé « la grave décision de faire disparaître le peuple juif de la terre », et en refusant jusqu'au bout de se laisser détourner de cet objectif même par l'effort de guerre : pour le service de l'Homme, ces assassins métaphysiques ont rompu – de la morale au calcul – tous les liens d'humanité.

Panwitz est grand, maigre, blond; il a les yeux, les cheveux et le nez conformes à ceux que tout Allemand se doit d'avoir et il siège, terrible, derrière un bureau compliqué. Et moi le *Häftling* 174 517 je suis debout dans son bureau, qui est un vrai bureau, net, propre, bien en ordre, et il me semble que je laisserais sur tout ce que je pourrais toucher une tache malpropre.

Quand il eut fini d'écrire, il leva les yeux sur moi et me regarda. Depuis ce jour-là, j'ai pensé bien des fois et

1. Cité par Shulamit Volkov, in *L'Allemagne nazie et le génocide juif,* Colloque de l'École des Hautes Études en Sciences Sociales, Hautes Études, Gallimard – Le Seuil, 1985, p. 83.

de bien des façons au Doktor Panwitz. Je me suis demandé ce qui pouvait bien se passer à l'intérieur de cet homme; comment il occupait son temps en dehors de la polymérisation et de la conscience indo-germanique; et surtout quand j'ai été de nouveau un homme libre, j'ai désiré le rencontrer à nouveau non pas pour me venger, mais pour satisfaire ma curiosité de l'espèce humaine.

Car son regard ne fut pas celui d'un homme à un autre homme; et si je pouvais expliquer à fond la nature de ce regard échangé comme à travers la vitre d'un aquarium, entre deux êtres appartenant à deux mondes différents, j'aurais expliqué, du même coup, l'essence de la grande folie du Troisième Reich [1].

Impossible, après une telle expérience, de continuer à croire dans la grandeur d'une destinée collective qui contient et dépasse l'existence des individus. Car ce qui donne au regard du Doktor Panwitz sa froideur sans pitié mais aussi sans haine, c'est la certitude absolue de contribuer, par l'élimination des parasites, à l'accomplissement du genre humain.

Ainsi la civilisation découvre (ou redécouvre) en 1945 que les hommes ne sont pas les *moyens*, les instruments ou les représentants d'un Sujet supérieur – l'Humanité – qui se réalise à travers eux, mais que l'humanité leur incombe, et qu'ils en sont les *gardiens*. Cette charge étant révocable, ce lien pouvant être rompu, l'humanité se trouve soudain dépouillée du privilège divin qu'avaient transféré sur elle les diverses variantes du progressisme : exposée, pré-

1. Primo Levi, *Si c'est un homme*, Julliard, 1987, p. 138.

caire, elle peut elle-même mourir. Elle est à la merci des hommes, et tout particulièrement de ceux qui se considèrent comme ses émissaires ou comme les exécuteurs de ses grands desseins. La notion de crime contre l'humanité est la trace juridique de cette prise de conscience.

Parlant en délégués de l'humanité non blanche, et déployant même leurs couleurs comme des drapeaux, les trois avocats de Klaus Barbie (Mᵉ M'Bemba, congolais, Mᵉ Bouaïta, algérien, et Mᵉ Vergès, français de mère vietnamienne) ont voulu effacer la leçon de Nuremberg. Ils auraient pu chercher des circonstances atténuantes à leur client, marquer le décalage entre l'ampleur des atrocités commises par les nazis et le rôle marginal du chef de la Gestapo de Lyon dans le processus d'extermination, peindre Barbie sous les traits d'un policier redoutable exclusivement chargé de démanteler la Résistance et opposer ainsi les crimes – prescrits – dont il s'était effectivement rendu coupable aux crimes imprescriptibles pour lesquels il comparaissait, invoquer enfin l'excuse bureaucratique du devoir d'obéissance, sociologique de l'endoctrinement, psychologique de la jeunesse difficile dans une Allemagne exsangue. Sans dédaigner complètement cet argumentaire classique, ils ont préféré se poser eux-mêmes en accusateurs et déplacer le racisme du crime lui-même vers la mémoire du crime, ou, si l'on veut, du Doktor Panwitz – dont le regard jeté sur

Primo Levi disait clairement : « Ce quelque chose que j'ai là devant moi appartient à une espèce qu'il importe sans nul doute de supprimer. Mais dans le cas présent, il convient auparavant de s'assurer qu'il ne renferme pas quelque élément nuisible [1] » – vers tous ceux qui aujourd'hui persistent à honorer les victimes de cette folie ou à traduire devant les tribunaux ses responsables encore en vie.

Vous nous demandez de souffrir avec vous, mais votre mémoire n'est pas la nôtre et vos lamentations narcissiques ne nous font pas pleurer, ont signifié Me Vergès et ses comparses aux Occidentaux. Car c'est vous qui refusez de partager la terre avec d'autres peuples ; c'est vous qui, vous prenant pour le centre de l'univers, cherchez à remplir de votre seule existence, de votre seule race le concept d'humanité et les archives de l'histoire. C'est vous qui, non contents d'avoir la richesse et le pouvoir, demandez en plus la pitié, et qui essayez de vous faire plaindre par ceux-là mêmes que vous continuez d'exploiter, après les avoir longtemps traités comme des sous-hommes. Blancs, vous vous apitoyez sur le sort des Blancs. Européens, vous érigez une querelle de famille en guerre mondiale et en crime imprescriptible. Aussi infatués de vous-mêmes qu'indifférents à la souffrance des vrais opprimés, vous ne soignez que vos égratignures et vous élevez les Juifs, c'est-à-dire les vôtres, à la dignité de nation maudite ou de martyrs élus pour mieux faire oublier par les épreuves

1. Primo Levi, *op. cit.,* p. 138.

que vous avez, une fois, traversées les sévices que vous n'avez jamais cessé d'exercer sur les peuples du Sud. Mais vous avez beau désigner sans cesse Barbie et ses semblables à la vindicte du monde, vous pouvez bien verser sur les crimes nazis de longs sanglots répercutés et amplifiés par votre gigantesque pouvoir médiatique, nous sommes là, face à vous, en ce lieu, et notre présence bigarrée prouve que, malgré tous vos efforts, la manipulation a échoué. Par notre truchement, en effet, c'est l'humanité elle-même qui s'esclaffe et qui dit que *votre* désastre n'est pas *son* affaire.

Ce qui saisit dans un tel raisonnement, ce n'est pas que des hommes se soient faits les avocats du diable en employant toutes les ressources de leur talent à innocenter Barbie des forfaits horribles qui lui étaient reprochés (cette mission leur était impérativement confiée par l'État de droit qui se désavouerait lui-même s'il retirait ses garanties à certaines catégories de criminels), c'est de voir resurgir, à l'occasion du procès d'un officier SS, une tradition dont on pouvait raisonnablement penser qu'elle ne survivrait pas à la tentative d'extermination des Juifs par les nazis : l'antidreyfusisme de gauche.

De même que les porte-parole les plus rigides du prolétariat avaient refusé de prendre parti pour Dreyfus, parce qu'ils ne voulaient surtout pas se laisser détourner du combat révolutionnaire par une lutte fratricide entre deux factions rivales de la bourgeoisie, de même, pour Mes Vergès, M'Bemba et

Bouaïta, les six millions de Juifs assassinés sur ordre de Hitler n'avaient aucun droit à la commisération universelle, car la solution finale, c'était blancs bagnards et bourreaux blancs : quand une hécatombe se produisait dans le camp des ennemis de l'Homme, on ne pouvait demander à l'autre camp, c'est-à-dire à ceux qui avaient en charge le progrès de l'humanité, qu'ils se morfondent dans un deuil éternel.

Ces avocats militants ne se sont donc pas contentés de plaider, du mieux qu'ils pouvaient, pour leur client ; traitant les *victimes* du racisme hitlérien en *symptômes* du racisme et de l'impérialisme occidental, ils ont réintroduit, dans sa version la plus radicale, la métaphysique ébranlée par la catastrophe, ils ont refait de l'humanité une « totalité en mouvement », et des hommes eux-mêmes les instruments ou les adversaires de sa réalisation.

La propagande soviétique, il est vrai, leur avait, de longue date, préparé le terrain. Présente à Nuremberg, la Russie de Staline avait adopté la qualification pénale de « crime contre l'humanité » sans difficulté, mais sans démordre pour autant de sa foi prométhéenne dans le sens de l'histoire. Loin qu'Auschwitz réfutât le progressisme, c'est Hitler qui devint le paradigme et le paroxysme de toutes les forces réactionnaires alliées contre le progrès. Ennemi protéiforme, hydre à mille têtes, le Führer n'avait été anéanti que pour renaître aussitôt en d'autres lieux et sous d'autres visages. Comme l'écrivait Ilya Ehrenbourg dans le volume de ses Mémoires intitulé *La*

Russie en guerre : « Ce qui est en cause ici, c'est le fait que parmi les cinquante millions de victimes de la Seconde Guerre mondiale, une manque : le fascisme. Il survécut à 1945. Certes il a connu une période de malaise et de déclin, mais il n'est pas mort [1]. » Principe commode qui jusqu'à une date récente permit au régime soviétique de nazifier tous ses adversaires du moment, des dissidents sans pouvoir à la puissance nucléaire américaine.

Mais cette propagande aujourd'hui (provisoirement ?) assagie gardait, par la force des choses, un lien de mémoire avec l'événement dont elle tirait parti. On ne peut plus en dire autant – le procès Barbie l'a montré – des idéologies religieuses ou séculières qui disputent aujourd'hui au communisme soviétique le flambeau de l'Humanité, ni des nouveaux sujets de l'histoire qui, hors d'Occident, veulent prendre la relève du prolétariat européen ou de la patrie du socialisme. Français à Sétif, Américains à My-lai, Juifs de l'UGIF (Union générale des israélites de France créée en 1941 par le régime de Vichy en remplacement de toutes les organisations juives existantes) ou sionistes de Deir-Yassin, tout le monde est nazi, a dit en substance Mᵉ Vergès, tout le monde sauf les nazis eux-mêmes. Car ils sont les perdants. Écrasés par les Alliés, ayant servi de caution ou d'excuse à la création et à l'expansion de l'État raciste d'Israël, comment pourraient-ils être absolument mauvais, c'est-à-dire nazis ? Entre deux facettes

1. Ilya Ehrenbourg, *La Russie en guerre*, Gallimard, 1968, pp. 45-46.

de l'Occident, entre deux modalités de l'horreur, c'était donc choisir la moindre que de défendre un *vaincu*. Et d'ailleurs, au moment même où les enfants des déportés s'acharnent, en toute bonne conscience, sur les Palestiniens au Liban ou en Cisjordanie, Klaus Barbie n'a-t-il pas serré les deux mains de son avocat noir, sans l'ombre d'une réticence raciste, comme celui-ci nous l'a révélé avec émotion lors de sa plaidoirie[1]?

A Nuremberg, le monde a jugé l'histoire, au lieu de se soumettre à ses verdicts, ou de chercher la vérité dans son développement. Définissant le genre humain par sa *diversité* et non plus par sa *marche en avant*; prenant conscience que ce n'est pas l'Homme qui habite la terre, mais les hommes dans leur pluralité infinie[2], les juges ont parlé au nom de la société internationale tout entière parce que, pensaient-ils, c'est elle qui subit un préjudice irréparable « du fait de la disparition d'un de ses éléments racial, national ou culturel[3] ».

Cette nouvelle perception de l'humain a, sans nul doute, accéléré la lutte contre la ségrégation raciale aux États-Unis et contribué en Europe à ruiner la cause de la colonisation. C'est sous le choc de la destruction des Juifs par les nazis que le mouvement

1. Audience du 1er juillet.
2. J'emprunte cette expression à Hannah Arendt qui l'utilise dans plusieurs de ses ouvrages et notamment dans *Vies politiques*, Gallimard, coll. Tel, 1986, p. 11.
3. Marcel Merle, *Le Procès de Nuremberg et le châtiment des criminels de guerre,* Paris, Pedonc, 1949, p. 158.

pour l'intégration des Noirs américains a pris son essor[1], et que l'opinion publique occidentale a pu penser et combattre comme des atteintes à l'humanité les exactions commises par son propre impérialisme – des voyages triangulaires d'autrefois aux guerres contemporaines d'Algérie ou du Viêt-nam. Comme l'écrit profondément Paul Ricœur : « Les victimes d'Auschwitz sont, par excellence, les délégués auprès de notre mémoire de toutes les victimes de l'histoire[2]. »

Or, à Lyon en 1987, dans le premier procès intenté en France pour crime contre l'humanité, la défense a rangé les martyrs du colonialisme et de la traite des Noirs dans le camp de l'accusé en réduisant la diversité du genre humain à l'histoire de l'Homme, et en opposant à cet Homme, dont elle prétendait être la seule dans le prétoire à assurer la représentation, le nazisme de l'Europe judéo-blanche.

Pur délire ? Mis à part deux *anciens* dirigeants du

1. Certes il a fallu attendre les années soixante pour voir cette lutte culminer et aboutir à l'égalité des droits. Mais c'est en novembre 1945 – soit six mois, à peine, après la capitulation sans condition de l'armée allemande – que l'American jewish congress créa une Commission du droit et de l'action sociale en vue d'aider tous ceux qui souffraient de la discrimination. Le président Truman note donc à juste titre dans ses Mémoires : « En persécutant les Juifs, Hitler a grandement contribué à faire prendre conscience aux Américains des extrêmes périls que peuvent engendrer les préjugés quand on permet à ceux-ci de dicter sa conduite à l'État. » (Voir Raul Hilberg, *La destruction des Juifs d'Europe,* Fayard, 1988, pp. 1024-1027.)

2. Ricœur, *Le Temps raconté, Temps et Récit III,* Seuil, 1985, p. 273.

FLN[1], personne n'a retiré son mandat symbolique à cette défense qui arborait fièrement « toutes les couleurs de l'arc-en-ciel humain[2] »; aucun intellectuel, aucun poète, aucun journaliste, aucun homme d'État africain, asiatique ou arabe n'a dit qu'on ne pouvait pas accuser la douleur juive d'obstruer la mémoire du monde, ni présenter les anciens esclaves et les anciens colonisés comme les victimes de la *conspiration des cendres de Sion*.

Cette approbation tacite (et parfois bruyante[3])

---

1. « Si nous, Algériens, nous devions avoir une quelconque place dans ce procès, ce n'est pas comme témoins à décharge de Barbie, mais comme témoins à charge, au nom des droits de l'Homme qui légitiment notre propre combat. » Hocine Ait Ahmed et Mohammed Harbi, *Nouvel Observateur*, nᵒ 1183, 10 juillet 1987.

2. Jacques Vergès, *Je défends Barbie, op. cit.*, p. 13.

3. Voici, par exemple, ce qu'on pouvait lire dans le dossier consacré au procès Barbie par l'hebdomadaire *Algérie-Actualité*, et intitulé sans ambages : *Que veulent les Juifs ?* :

« Plus de quarante ans après, l'Holocauste fait fureur. Dès qu'un Juif pleure quelque part dans le vaste monde, on accuse l'humanité d'être foncièrement antisémite et on convoque coup sur coup l'Histoire et les hommes qui l'ont faite.

« L'Holocauste, c'est la flamme de l'Olympe juive qu'entretient une puissance financière mondiale par médias interposés. [...]

« Comment dire aux Palestiniens de mémoriser des drames passés, quand ils en vivent au présent de bien plus insupportables. Quelle différence y a-t-il entre une chambre à gaz et une bombe à fragmentation qui tombe sur une maison arabe une nuit de ramadan ?

« Que dire aux enfants palestiniens sur le fonds commun humain si un jour les hommes qui les ont privés de mémoire ne connaissent l'infamie du box des accusés? Dans l'attente de cet amour entre les hommes, sublimé comme l'éternité, subsiste cette vérité. Celle de Mᵉ Jacques Vergès "antisémite" malgré lui, bordé de formules injurieuses par ces maniaques de la persécution : "les sionistes reculent dans le temps jusqu'à prendre le visage des chevaliers teutoniques". » *Algérie-Actualité*, nᵒ 1127, semaine du 21 au 27 mai 1987.

signifie que si la France s'était avisée d'offrir son prisonnier à l'ONU selon le souhait exprimé par Hannah Arendt lors du procès Eichmann, de très nombreux États auraient suivi Vergès et voté l'acquittement. Pour une part importante de l'opinion internationale, Hitler n'a rien à voir avec Hitler, ni le Troisième Reich avec la catastrophe de l'humanité. Ce qui lui reste de la Seconde Guerre mondiale, à cette majorité planétaire, c'est un mot : nazi. Mot désormais sans référent, sans ancrage ; mot qui n'est plus un fait, juste une étiquette ; mot flottant, disponible, intégralement corvéable, et qui regroupe sous un même label d'infamie toutes les oppositions que les mandataires autoproclamés de l'Homme en marche rencontrent sur leur chemin. Mot qui, pour le dire autrement, refuse à l'adversaire la qualité d'être humain, qui le dégrade en monstre contre lequel tous les moyens sont bons, et qui peut ainsi donner, le cas échéant, l'onction de l'antinazisme aux deux pratiques jugées et solennellement condamnées à Nuremberg : la guerre totale et l'extermination.

VI

L'incident

La défense, *a priori*, ne devait pas s'en tenir là. Elle avait annoncé deux contre-procès : celui de l'Occident, celui de la Résistance. « Jean Moulin sera présent à l'audience, si elle doit s'ouvrir un jour, car, figurez-vous, j'en ai décidé ainsi », avait prévenu M⁰ Vergès, avec sa superbe coutumière. La justice avait certes écarté l'affaire de Caluire des chefs d'accusation retenus contre Barbie, mais son avocat semblait persuadé que sans l'arrestation et la mort de Jean Moulin, le nom de Klaus Barbie aurait disparu de la mémoire nationale et que l'ancien SS aurait pu continuer, comme nombre de ses collègues, à couler des jours tranquilles quelque part en Amérique latine. Même s'il répondait aujourd'hui d'autres forfaits, c'est ce crime avant tout qui l'avait arraché à l'anonymat et qui l'avait inscrit dans la conscience collective des Français. En affirmant, voire en faisant dire à l'accusé lui-même que Jean Moulin n'était pas mort sous la torture, mais qu'il s'était fracassé la tête contre un mur, après s'être rendu compte qu'il avait été dénoncé par des camarades de combat, Me Vergès entendait prouver que la Résistance – humaine, trop humaine – avait sa part de responsabilité dans l'événement auquel le chef de la Gestapo de Lyon devait son encombrante notoriété. Au paysage contrasté de la légende, il voulait opposer «l'amère vérité» d'une nuit où tous les soldats étaient gris – les clandestins comme les occupants. Il voulait démontrer, en un mot, qu'il n'y avait ni ange ni bête, ni coupable absolu ni beau justicier, et que le «boucher de Lyon» était la victime expiatoire de notre mythologie, le salaud dont nous avions besoin pour isoler l'abjection, et pour exorciser dans un rassurant manichéisme le mal partout répandu.

Choisissant l'effet d'annonce plutôt que l'effet de surprise, Me Vergès développa et précisa cette argumentation tout au long des quatre années qui s'écoulèrent entre la capture de Barbie et son procès. Dans un livre paru au mois de novembre 1983, il impute à la partialité juive de Robert Badinter (alors ministre de la Justice) le fait que son client n'ait plus à répondre de la mort de Jean Moulin: «L'argument juridique que le parquet, c'est-à-dire le pouvoir auquel il est soumis hiérarchiquement, avance pour expliquer cet escamotage est que l'arrestation, puis la déportation d'un Juif est un crime contre l'humanité, mais que l'arrestation puis la mort de Jean Moulin, serait un crime

72

de guerre, et que les crimes de guerre sont prescrits, de la prescription de droit commun [1]. » Ce qui signifie, en clair, qu'entre deux persécutions égales, le garde des Sceaux favorise éhontément celle qui frappe les siens. Mais, menace alors Me Vergès : « Je montrerai à travers des témoignages indiscutables et indiscutés la marche inexorable vers le drame, puis la passion de Jean Moulin, sans rien laisser dans l'ombre des responsabilités de chacun [2]. » Son scénario est le suivant : Jean Moulin a été livré aux Allemands par des résistants qui le trouvaient à la fois trop gaulliste et trop proche des communistes, et qui avaient établi contre son gré des liens avec les services secrets américains. Interrogé à la télévision française, le même mois de la même année, Vergès affirme pouvoir démontrer que si « Jean Moulin est mort, ce n'est pas à la suite des coups reçus de Barbie, c'est parce que devant l'ampleur de la trahison autour de lui, il a estimé que c'était le seul moyen pour lui de se comporter dignement [3] ». Accusation qu'il réitère, l'année suivante, dans le film de Claude Bal : *Que la vérité est amère.*

Ainsi avertis des intentions et de la stratégie de Me Vergès, les avocats représentant les parties civiles résistantes avaient eu tout le temps de

1. Jacques Vergès, *Pour en finir avec Ponce-Pilate,* Pré-aux-Clercs, 1983, p. 23.
2. *Ibid.,* p. 24.
3. Cité par Henri Noguères, *La vérité aura le dernier mot,* Seuil, 1985, p. 233.

mettre au point leur riposte : et ils étaient bien décidés à ne pas laisser la défense se transformer en accusation. Mais – première surprise – les débats ne donnèrent lieu à aucun incident. Barbie avait choisi l'absence, et Mᵉ Vergès se garda bien d'aborder la question Jean Moulin, même le jour où défilèrent à la barre les résistants qu'il avait lui-même cités et dont il avait pourtant promis de montrer qu'ils étaient des «héros à la mie de pain», des «gens qui menaient le double jeu, des gens à qui la passion politique partisane faisait oublier le service de la Résistance [1]».

Cette étrange discrétion n'était-elle qu'une ruse ? Mᵉ Vergès avait-il été contraint de renoncer à ce genre d'attaques par le jugement du tribunal de Paris qui le 30 avril 1987, soit quelques jours seulement avant l'ouverture du procès, avait condamné Claude Bal pour diffamation envers les résistants mis en cause dans son film, ou bien réservait-il ses coups pour la plaidoirie c'est-à-dire pour ce moment solennel et final où l'adversaire ne peut plus répondre, sauf à violer les droits sacro-saints de la défense ? Craignant cet ultime stratagème, Mᵉ Noguères prévint son confrère que sa plaidoirie ne serait pas un sanctuaire, que tout ne lui était pas permis, et que passant outre à l'usage, il l'interromprait pour faire les mises au

1. Jacques Vergès *in* Jacques Vergès-Étienne Bloch, *La face cachée du procès Barbie,* Samuel Tastet, p. 66 et p. 17.

point nécessaires, s'il s'avisait de réitérer ses imputations calomnieuses à l'égard des résistants [1].

Second sujet d'étonnement : Mᵉ Vergès obtempéra. Il ne mit pas sa menace à exécution. La promesse de scandale ne fut pas tenue. Malgré le rendez-vous qu'il avait lui-même fixé, Jean Moulin ne fut présent à aucun moment de son interminable plaidoirie. Les observateurs en conclurent pour la plupart à la déroute de l'avocat. Il avait suffi de faire les gros yeux pour le tenir en respect, lui qui tout au long de l'instruction prédisait qu'on allait tuer sournoisement Barbie dans sa cellule, plutôt que de laisser ternir publiquement l'image de la Résistance... Le charme était donc rompu, le grand provocateur n'était qu'un matamore, et Bernard-Henri Lévy pouvait triomphalement écrire, à la veille du verdict : « On craignait Vergès, par exemple. On craignait la provocation, les révélations qu'il devait faire. Et la France entière, rappelez-vous, était suspendue aux mots, aux noms qu'il allait livrer. Vergès, aujourd'hui, a perdu. Il n'a tenu aucune de ses promesses, réussi aucun de ses " effets ". Et lui qui attendait tant de cette affaire, lui qui en escomptait mieux que le triomphe, le couronnement de sa carrière, risque de n'y pas laisser beaucoup plus de traces que

1. Audience du 23 juin.

l'obscur docteur Servatius dans le procès Eichmann à Jérusalem [1]. »

Frivole optimisme. Car un incident éclata bel et bien pendant les plaidoiries. Et la défense reçut alors le renfort spectaculaire de ceux-là même qui, depuis le début du procès, l'avaient placée sous surveillance. Souvenons-nous : quand le représentant de la Fédération des sociétés juives de France, Me Zaoui, prit sur lui d'interrompre la plaidoirie de Me Bouaïta, l'avocat algérien de Barbie qui évoquait entre autres aménités « la nazification du peuple israélien juif [2] », tous les porte-parole de la Résistance protestèrent contre ce comportement déplacé. Légitime tant qu'elle était invoquée par Me Noguères pour le compte des résistants, l'interruption redevenait sacrilège dès lors que Me Zaoui s'en servait pour les Juifs. Comment expliquer ce double traitement ? Pourquoi la diffamation méritait-elle d'être sanctionnée dans un cas, et pas dans l'autre ?

La réaction de Me La Phuong, avocat de l'association « Ceux de la Libération », peut nous aider à répondre à cette question. En s'exclamant « Je ne suis pas ici le défenseur de l'État d'Israël ! », il signifiait que Me Zaoui, lui, l'était et que son geste était motivé non par le souci de la vérité, mais par les intérêts et par l'image du pays qu'il représen-

1. Bernard-Henri Lévy, in *Archives d'un procès Klaus Barbie*, Globe-Le Livre de Poche, 1987, p. 9.
2. Audience du 1er juillet.

tait à l'audience : seul un sioniste militant et, qui plus est, fort susceptible, pouvait contester à la défense le droit d'identifier Sabra et Chatila à Auschwitz, les bombes au phosphore aux fours crématoires, et la notion juive de peuple élu au racisme hitlérien. Face à ce nationalisme ombrageux, les avocats de Barbie et ceux des associations de résistants se retrouvaient du même côté de la barricade. Les uns et les autres menaient le même combat pour déloger les Juifs de leur position de monopole et pour retirer le crime contre l'humanité à ses accapareurs. Sollicité par le journal *Libération* pour faire le bilan juridique du procès, Paul Bouchet, l'ancien bâtonnier de Lyon, alla même jusqu'à déclarer : « La présence aux côtés de Jacques Vergès d'un avocat algérien et d'un avocat congolais a internationalisé la défense. Une défense purement interne aurait sans doute fait moins de remous, mais elle aurait peut-être posé moins fortement des questions qui, pour dérangeantes qu'elles soient, sont utiles lorsqu'il s'agit de définir dans un droit encore en formation les limites du crime contre l'humanité [1]. »

Pour ce juriste éminent qui, avant d'être nommé au Conseil d'État, devait assurer la coordination des avocats des parties civiles, il n'y avait donc nul scandale, nul motif de stupeur, de colère, ou d'interrogation dans l'alliance nouée entre la « Race des Seigneurs » et l'humanité non blanche.

1. *Libération*, 6 juillet 1987.

Paul Bouchet saluait, au contraire, la contribution de la défense au progrès de la conscience et au perfectionnement du droit : en martelant qu'Auschwitz n'était pas l'anus du monde, mais le nombril de l'Occident, Mᵉ Vergès avait, selon lui, provoqué un choc violent et, tout bien pesé, salutaire ; il avait fallu ses questions « dérangeantes » pour que fût poursuivie la réflexion juridique amorcée par les parties civiles résistantes et pour que notre droit se dégageât enfin de l'ethnocentrisme « frileux » où il restait confiné depuis Nuremberg. L'avocat de Barbie pouvait-il rêver plus belle victoire, consécration plus éclatante que ce brevet d'universalisme décerné à son action [1] ?

1. Quelques mois plus tard, un journaliste de *Libération* voyait « une certaine justification aux questions posées par Jacques Vergès » dans la manière dont la France s'accommodait de l'assaut de la grotte d'Ouvéa. Dix-neuf militants indépendantistes de Nouvelle-Calédonie avaient été abattus par les militaires français chargés de libérer les otages qu'ils détenaient après l'attaque d'une gendarmerie qui avait fait quatre morts, et ce carnage ne semblait pas devoir déboucher sur une action judiciaire. Qu'en conclure, pour ce journaliste démocratiquement attaché à l'égalité dans la vie comme dans la mort, sinon que vingt Canaques tués dans une opération militaire constituent une *bavure* parce qu'ils sont noirs, tandis que six millions de Juifs assassinés par les nazis, sans aucun motif stratégique ou militaire, sont victimes d'un crime contre *l'humanité* parce qu'ils sont européens ? Vergès, en d'autres termes, avait raison, sa plaidoirie était prémonitoire et l'« on imagine sans peine la jubilation de l'avocat de Barbie si s'ouvrait demain le procès de militaires accusés d'avoir procédé à une " corvée de bois " et si, partie civile, il représentait à la barre la famille des victimes. Tout à coup se trouveraient légitimées à ses yeux ses déclarations sur " la paille et la poutre " et son refus d'accorder à la justice française le droit de juger Barbie avant d'avoir fait le ménage dans son passé colonial ». (« Vergès vu d'Ouvéa », Francis Zamponi, *Libération*, lundi 16 mai 1988.)

VII

La confusion sentimentale

« L'interprétation d'un texte de droit pénal n'a pas à être *frileuse* ou, à l'opposé, *fiévreuse* », avait dit le procureur de Lyon, Pierre Truche, au lendemain de l'arrêt de la Cour de cassation qui faisait entrer dans la définition du crime contre l'humanité certains actes tenus jusqu'alors pour des crimes de guerre. A contre-courant de l'opinion, ce magistrat têtu et singulier refusait d'abandonner la réflexion juridique sur le meurtre de masse à l'alternative purement psychologique (sinon même physiologique) du chaud et du froid, de la sensibilité et de la sécheresse de cœur. A l'avocat général de la chambre criminelle – qui avait emporté la décision par ces mots : « Je sais, moi, que les six cents malheureux du convoi du 11 août 1944 ont entendu le même cri rauque, au petit matin : "Appel, et sans bagage" » –, il osa même répliquer, au risque d'aggraver son cas et de paraître carrément glacial, que les Allemands avaient, les premiers, disjoint le sort de ces déportés en débarquant les hommes résistants au camp alsacien du Struthof,

81

les femmes résistantes à Ravensbrück, les Juifs, hommes, femmes, et enfants, à Birkenau où ils étaient promis, et eux seuls, à une mort immédiate. Les chances de survie n'étant pas les mêmes, on pouvait donc dire qu'à chacune de ces destinations correspondait bien, pour les bureaucrates nazis, un destin différent.

Pierre Truche ayant été choisi pour soutenir l'accusation au procès, c'est, semble-t-il, dans le même esprit que, dès le début de son réquisitoire, il fit une place à part à l'arrestation et à la déportation des quarante-quatre petits pensionnaires de la colonie juive d'Izieu, en rappelant qu'il y avait « du plus horrible dans l'horreur », et que ce plus horrible, c'était « le génocide des enfants [1] ».

Arrêtons-nous, cependant, sur cette expression : le génocide des enfants. Frappante au premier regard ou à la première audition, elle se révèle, pour peu qu'on la considère attentivement, impossible et absurde. Car le génocide, c'est la tentative de destruction d'un peuple, et jamais les nazis n'ont entrepris d'annihiler le peuple puéril. Jamais leur propagande n'a dénoncé la conspiration des enfants, ou les effets dévastateurs du « bacille » enfantin. Ce n'est pas des enfants qu'Hitler a dit qu'ils étaient une « ordure qui pullule », « une troupe de rats », un « abcès » sur lequel, d'urgence, il fallait porter le « scalpel ». Et ce n'est pas parce qu'ils étaient âgés de trois à treize ans que les habitants du home d'Izieu

1. Audience du 29 juin.

furent enlevés le 6 avril 1944, et envoyés dans les camps de la mort, mais parce qu'ils appartenaient à une race parasitaire dont la conférence de Wannsee avait programmé la totale liquidation.

On m'objectera que je critique une figure de style comme s'il s'agissait d'un raisonnement, et que le procureur a pris la partie (les enfants) pour le tout (les Juifs), en pleine possession de ses moyens rhétoriques et en toute connaissance de cause. Soucieux de faire partager son émotion à l'auditoire, il a parlé faux dans le louable dessein de toucher juste. Il n'y a rien, en effet, de plus immédiatement évocateur, rien qui n'éveille en nous une compassion aussi ardente que le déchaînement de la force brute contre l'innocence ou la faiblesse absolue. Mais là justement est le problème ou, si l'on veut, la redoutable efficacité sentimentale de l'expression : «génocide des enfants». Cette métonymie fait disparaître la finalité du crime derrière son inhumanité même. Ce n'est pas le refus inouï de partager la terre avec un autre peuple qu'elle nous donne à sentir et à penser, c'est la méchanceté en soi, c'est l'essence du mal. Ce n'est pas l'intention particulière, c'est la barbarie tout court. Ce n'est pas l'attentat le plus systématique jamais perpétré contre *le genre humain*, c'est la négation la plus radicale qui se puisse concevoir de la *vertu d'humanité*.

Et si le crime contre l'humanité se définit simplement comme le plus inhumain, comme le plus monstrueux de tous les crimes, s'il ne se distingue des autres manquements à la loi et à la morale que par l'abjection qu'il révèle, toutes les raisons de garder la tête froide et de veiller aux discriminations juridiques s'effondrent : il faut être non seulement frileux mais féroce et sans pitié pour continuer à voir dans la persécution des résistants une barbarie acceptable ou un *crime humain*. Et la torture dans les dictatures militaires ? Et les bavures policières ? Et les meurtres de vieilles dames ou les viols d'enfants ? Dans cette logique qui est celle du cœur, c'est par défaut de sensibilité, c'est parce que l'humanité n'est pas suffisamment humaine, qu'il y a encore des actes ignobles qui échappent à la catégorie du crime contre l'humanité : plus s'élargira le domaine couvert par cette infraction, et plus l'espèce se rapprochera de cet état idéal où, unie contre le crime, elle pourra enfin proclamer que tout ce qui est inhumain lui est étranger.

En suscitant l'image du génocide des enfants, l'insupportable évocation d'Izieu conduisit ainsi le procureur là où ni la rivalité des mémoires, ni la mauvaise conscience occidentale n'avaient réussi à l'entraîner, et il en vint à surenchérir sur la thèse de la Cour suprême au nom même de ce qui avait d'abord provoqué son dissentiment : la politique d'extermination.

Nous n'étions pas d'accord. Les magistrats lyonnais, sur mes réquisitions conformes, avaient adopté la définition de M. Frossard, limitant le crime contre l'humanité aux actes commis contre les Juifs. Nous avions pensé que les résistants étant des combattants volontaires ne se trouvaient pas concernés. La Cour de cassation ne nous a pas suivis. Elle a estimé que l'inhumanité résultait du traitement infligé dans les camps nazis. Il faut que je vous dise ici ma conviction d'homme et de citoyen. La Cour suprême ayant décidé que tout ce dont vous êtes aujourd'hui saisis est inhumain, le débat n'est pourtant pas, à mon sens, terminé. Je souhaite profondément que ce procès ne mette pas un terme à la réflexion sur l'inacceptable. S'il y avait quelque chose de choquant à distinguer entre les déportés du convoi du 11 août 1944 selon qu'ils étaient juifs ou résistants, des différences existent encore après l'arrêt de la Cour de cassation qui font que les tortures contre les résistants ne sont pas retenues, alors qu'exercées contre des Juifs avant leur déportation, elles constituent pour l'auteur des circonstances aggravantes. Votre décision interviendra donc pour marquer une étape. Pour l'heure, j'estime que vous devez retenir comme crimes contre l'humanité tous les faits qui vous sont soumis, *car vous ne pouvez dire qu'il y ait, dans ce dossier, un seul acte qui ne soit pas inhumain* [1].

Dénoncer l'assassinat des enfants, repousser toujours plus loin les limites de l'inacceptable : quel homme de bonne volonté pourrait marchander son concours à une aussi noble ambition? Ni Mᵉ Roland Dumas qui, chargé de conclure pour toutes les parties civiles, avait su faire pleurer le public en dressant l'inventaire des enfants martyrs d'aujourd'hui et en

1. Audience du 29 juin, cité par Jean-Marc Théolleyre, *Le Monde*, *op. cit.*, p. 37.

n'hésitant pas à ranger dans cette catégorie les militants politiques enlevés, torturés et exécutés par la junte militaire argentine, sous prétexte que *leurs mères* avaient publiquement demandé des comptes aux bourreaux : « La coutume voulait que dans mon pays, un enfant mort soit enseveli dans un linceul blanc, car la blancheur est le symbole de l'innocence et toute mort d'un enfant est un malheur pour l'humanité. C'est ce message que vous avez à faire retentir et bien au-delà de nos frontières. Il faut qu'il atteigne l'Afrique du Sud où des enfants sont en prison et en danger, le Proche-Orient où ils sont apeurés sous les bombes, l'Argentine où les mères de la Place de Mai ont réclamé en vain les leurs [...] [1]. » Ni Mes M'Bemba et Bouaïta qui s'enrôlèrent ostensiblement dans la croisade humanitaire prêchée par le procureur, et se payèrent ainsi le luxe de placer leur défense de Barbie sous l'autorité morale de l'Accusation. Ni Me Vergès, enfin, qui prenant au mot celui qu'il désignait dans le style et sur le ton grand seigneur dont il ne sait plus se départir comme son « seul adversaire », alla même jusqu'à dédier la publication de sa plaidoirie aux « enfants martyrs de toutes les guerres : juifs, palestiniens, vietnamiens, algériens..., sans oublier les soixante-dix enfants allemands morts de privations au camp de Montreuil-Bellay et inhumés au cimetière militaire d'Huisnes [2]. » La dilution sentimentale du crime

1. Audience du 26 juin, *ibid.*, *op. cit.*, p. 35.
2. Jacques Vergès, *Je défends Barbie*, *op. cit.*

contre l'humanité dans l'inhumain justifiait ainsi le procès de l'Europe judéo-blanche et apportait la caution inespérée du *cœur* aux amalgames pratiqués par la défense au nom de l'*Idéologie*.

VIII

La nuit de l'idylle

Qu'est-ce que l'Idéologie? C'est, nous dit Hannah Arendt, « la logique d'une idée », la prétention d'expliquer l'histoire comme « un processus unique et cohérent [1] » dont la finalité est l'accomplissement, la production de l'humanité elle-même. La pensée idéologique refuse donc toute pertinence à l'opposition esquissée à Nuremberg entre les massacres commis au nom de la loi par un « service public criminel » et les violations par certains États, dans certaines circonstances, de leur propre droit interne. Car ce que l'Idéologie appelle loi, c'est la formule de l'évolution et rien d'autre. Qu'elle parle de loi de l'histoire ou de loi de la vie, qu'elle se réfère à Marx ou à Darwin, l'Idéologie soumet l'humanité au même régime que la nature, c'est-à-dire à un ordre qui n'est pas un commandement : les fins que les hommes se proposent et les impératifs qu'ils se fixent dissimulent, à ses yeux, les causes qui les font agir.

1. Hannah Arendt, *Le système totalitaire,* Le Seuil, 1972, pp. 216 et 217.

Bref, l'Idéologie substitue la nécessité au devoir et la loi scientifique du devenir à la transcendance de la loi juridique ou morale. Avec le vocabulaire du droit, elle exclut le droit de sa vision du monde. Dans l'Idéologie, écrit encore Hannah Arendt, « le terme de loi lui-même change de sens : au lieu de former le cadre stable où les actions et les mouvements humains peuvent prendre place, celle-ci devient l'expression du mouvement lui-même [1] ».

Pour Me Vergès, le conflit Nord-Sud étant la loi de l'histoire, la France en Algérie et l'Amérique au Viêt-nam ont montré leur vrai visage prédateur, tortionnaire, antihumain. Et s'il est vrai que l'opinion publique intérieure a pesé dans ces deux pays, contre la guerre, cela ne provient pas de la contradiction qui existerait entre les *valeurs* de l'Occident et ses *crimes* : cela veut seulement dire que l'Occident a révélé alors son essence criminelle à une importante proportion d'Occidentaux.

Et de même que la vérité de l'Occident se résume à sa violence impérialiste, de même les crimes commis par les nations antioccidentales n'existent pas en regard de leur rôle positif dans l'évolution : forts de ce principe, les avocats de Barbie ont réalisé le prodige de réclamer sans cesse l'élargissement du crime contre l'humanité, en écartant systématiquement tous les cas avérés de « service public criminel », et même en réintroduisant dans le prétoire la logique qui pouvait mener à leur émergence.

1. *Ibid.*, p. 209.

L'extermination de trois millions de Cambodgiens ne résulte pas, en effet, d'une furie passagère ou d'un accès de bestialité. Les cadres juvéniles de l'Angkar – ce génocide fut mis en œuvre par des adolescents – avaient le même regard que le Doktor Panwitz : avec un calme implacable, ils exécutaient la sentence que l'histoire avait prononcée à l'encontre de ceux qui portaient la marque de l'influence occidentale, et ils poussaient ainsi l'Idéologie jusqu'à ses ultimes conséquences. C'est au nom de la loi, qu'ils s'affranchissaient du «Tu ne tueras point.» C'est la « science» en eux, et non la nature, qui étouffait la voix de la conscience. C'est l'idée qui domptait l'instinct et non, comme dans les pogromes, l'instinct qui renversait toutes les digues : « La terreur est la réalisation de la loi du mouvement ; son but principal est de faire que la force de la Nature ou de l'Histoire puisse emporter le genre humain tout entier dans son déchaînement, sans qu'aucune forme d'action spontanée ne vienne y faire obstacle [1]. »

Ainsi donc, dans ce procès qui devait être pour la défense celui de tous les génocides, et dans lequel l'avocat général lui-même voyait un approfondissement de la pensée juridique, il n'a pratiquement pas été question de la révolution khmère rouge. L'analyse de cet événement n'eût pourtant pas manqué de faire apparaître les véritables déficiences de Nuremberg. Avec l'élimination méthodique des bourgeois, des intellectuels (reconnaissables au fait qu'ils por-

1. Hannah Arendt, *le système totalitaire, op. cit.*, p. 210.

taient des lunettes ou qu'ils parlaient les langues) et de tous les ennemis de l'Homme nouveau, le régime de Pol Pot s'est bien inscrit dans la lignée meurtrière du régime hitlérien. Alors qu'autrefois le crime s'accomplissait «à l'encontre de la loi morale qui existait simultanément», là, comme dans le nazisme, «c'est le crime qui s'est fait doctrine et loi morale [1]». Mais ce crime n'ayant pas été perpétré dans le cadre ou à la faveur d'une guerre, le jugement de Nuremberg ne permet pas de le sanctionner. Après quelque hésitation, en effet, le tribunal militaire interallié avait fini par restreindre la notion de crime contre l'humanité à celle de crime commis *en temps de guerre* :

> Il est hors de doute, lit-on dans le jugement, que dès avant la guerre, les adversaires politiques du nazisme subirent l'assassinat ou l'internement dans les camps de concentration : le régime de ces camps était odieux. La terreur régnait souvent, elle était organisée et systématique. Une politique de vexations, de répression, de meurtre à l'égard de civils présumés hostiles au gouvernement fut poursuivie sans scrupules, la persécution des Juifs sévissait déjà. Mais pour constituer des crimes contre l'humanité, il faut que les actes de cette nature, perpétrés avant la guerre soient l'exécution d'un complot ou d'un plan concerté en vue de déclencher et de conduire une guerre d'agression. Il faut tout au moins qu'ils soient en rapport avec celui-ci. Or le Tribunal n'estime pas que la preuve de cette relation ait

1. Max Picard, *L'homme du néant (Hitler in uns selbst)*, op. cit., p. 191.

94

été faite, si révoltants et atroces que fussent parfois les actes dont il s'agit. Il ne peut donc déclarer que ces faits imputés au nazisme et antérieurs au 1er septembre 1939, constituent au sens du statut des crimes contre l'humanité [1].

Le jugement de Nuremberg s'est donc fait en deux temps : après avoir nettement prévu une catégorie d'infractions distinctes, après avoir affirmé par la bouche du délégué des États-Unis au comité juridique de la Commission des Nations unies pour les crimes de guerre, que « les crimes perpétrés contre les personnes apatrides ou contre toutes autres personnes en raison de leur race ou de leur religion devaient être considérés comme des crimes contre l'humanité », parce qu'ils attentaient aux fondements mêmes de la civilisation, indépendamment de leur lieu et de leur date, et indépendamment de la question de savoir s'ils constituaient ou non des infractions aux lois et coutumes de la guerre [2], les Alliés ont limité, *in fine,* leur compétence juridictionnelle aux forfaits accomplis depuis le déclenchement des hostilités. Ils n'ont d'abord rejeté, comme on l'a vu, les arguments du réalisme que pour, en fin de course, s'y rallier en sacrifiant sur l'autel de la non-ingérence les principes universels qu'ils venaient d'affirmer. De peur de mettre tout l'ordre international en péril, ils ont tenté un difficile compromis entre la référence à une loi du genre humain et

1. *Le procès de Nuremberg, Le verdict,* Office français d'édition, 1947.
2. Cité et commenté dans Meyrowitz, *op. cit.,* p. 18.

l'idée qu'un gouvernement a le droit de faire chez lui ce qu'il n'a pas le droit de faire chez les autres. Comme l'expliquait le juge américain Jackson, lors de la Conférence de Londres (chargée de préparer le procès) :

Il existe depuis des temps immémoriaux un principe général selon lequel en temps ordinaire, les affaires internes d'un autre État ne nous regardent pas; autrement dit, la façon dont l'Allemagne traite ses habitants ou dont n'importe quel régime traite les siens, n'est pas plus notre affaire qu'il n'appartient aux autres États de se mêler de nos problèmes... A certains moments, des circonstances regrettables font que, dans notre propre pays, les minorités sont injustement traitées. Nous estimons qu'il est justifiable que nous intervenions, ou tentions de châtier les individus ou les États, seulement parce que les camps de concentration et les déportations poursuivaient un plan ou une entreprise concertés de livrer une guerre injuste à laquelle nous avons été amenés à participer. Nous ne voyons aucune autre base sur laquelle nous soyons justifiés de nous en prendre aux atrocités qui étaient commises à l'intérieur de l'Allemagne, sous le régime allemand ou même en violation du droit allemand, par les Autorités de l'État allemand [1].

Résultat : les décrets antijuifs pris avant la guerre, ont été exclus de l'acte d'accusation bien qu'ils aient constitué la première étape de la solution finale.

Il est vrai que l'assemblée générale des Nations

1. Cité dans Raul Hilberg, *La destruction des Juifs d'Europe, op. cit.*, p. 918.

unies a rompu cette connexité artificielle entre la guerre et le crime contre l'humanité en reprenant à son compte le terme de génocide forgé par Raphaël Lemkin pendant les derniers mois de l'occupation nazie pour désigner la liquidation d'une collectivité ethnique, et en adoptant, le 9 décembre 1948, une convention dont l'article premier était ainsi rédigé : « Les parties contractantes confirment que le génocide, qu'il soit commis en temps de paix ou en temps de guerre, est un crime du droit des gens qu'elles s'engagent à prévenir et à punir. » Le problème est qu'en l'absence d'une justice pénale internationale, l'accord prévoit de confier à l'État sur le territoire duquel le génocide s'est produit le soin de traduire les coupables devant ses propres tribunaux. Ce qui revient à faire assurer la répression du crime contre l'humanité soit par le criminel (hypothèse absurde) soit par les seuls rescapés (hypothèse contradictoire avec l'idée d'une *loi* ou d'un *destin* communs à l'humanité tout entière). Le génocide devient une affaire intérieure, sa punition se réduit, quand elle a lieu, à une purge, et l'on aboutit ainsi à la situation même que l'on avait voulu corriger : la dislocation du genre humain en une multitude d'États.

Peut-être n'y a-t-il pas moyen de porter remède à ces lacunes du droit international. Au moins se serait-il passé quelque chose à Lyon, si elles avaient été constatées. Au lieu de cela, la justice française s'est abritée derrière les ambiguïtés du jugement de Nuremberg, pour brouiller un peu plus encore la définition du crime contre l'humanité, et la pensée sentimentale a rendu les armes devant la pensée totalitaire, rhabillée aux couleurs de l'antiracisme par les défenseurs de Barbie.

Admirons le paradoxe : c'est en réaction à l'Idéologie que l'Occident est devenu si sentimental. C'est parce que la hantise de ne pas désespérer Billancourt a perdu son pouvoir d'intimidation, que nous nous sentons aujourd'hui assez libres pour dénoncer tous les crimes sans distinction de provenance ou de finalité. C'est sur l'histoire et ses douteux prestiges, que nous avons reconquis – de haute lutte – le don des larmes. C'est à la défaite de l'idée révolutionnaire que nous devons de pouvoir nous mobiliser, sans sélection préalable, pour toutes les victimes de l'inhumanité. Or où nous mènent cette libération morale et cette pitié enfin débridée? A consacrer, en toute inconscience, le grand retour de l'Idéologie dans le premier procès qui ait eu lieu, en France, pour crime contre l'humanité.

C'est que, malgré sa véhémence et sa radicalité, notre critique a manqué l'essentiel : l'Idéologie est pavée de bons sentiments. Promettant pour demain l'avènement d'une humanité unie et heureuse, et ramenant aujourd'hui la diversité des opinions, des intérêts et des conflits nés de la vie en société, à un unique affrontement manichéen, l'Idéologie parle le langage de la science, mais s'adresse d'abord à l'affectivité : elle flatte cette part de nous-même qui ne peut se résigner à ce que la pluralité soit la loi de la terre et qui s'entête à vouloir un monde merveilleusement simple où jamais la politique n'émerge de la morale, ni la pensée du sentiment, l'Autre ayant toujours soit la tendre figure du frère, soit celle effrayante de l'assassin. Certes, ce n'est pas la même chose d'exclure du genre humain tous ceux qui n'appartiennent pas à la famille, à la race, à la nation, et de vouloir généraliser le sentiment de la famille à l'humanité tout entière. Mais – repli sur la tribu élémentaire ou constitution de la planète en une seule et immense fratrie – dans les deux cas, règne la loi du cœur, et la discordance est ressentie comme « un crachat jeté au visage de la souriante fraternité [1] ».

Par-delà leurs réelles différences, les propagandes totalitaires nous replongent l'une comme l'autre dans l'époque idyllique et barbare située par Goethe au commencement de l'histoire culturelle de l'humanité : tout y a « un air domestique et familial [2] »; nulle relation sociale n'échappe au modèle de l'intimité; une même camaraderie inaltérable s'affiche sur les mêmes visages juvéniles et radieux.

Il faut donc étendre à l'idéologie en général la définition que Thomas Mann donnait, en 1940, du national-socialisme : « Le national-socialisme signifie : " Je ne me soucie pas des conséquences sociales. Ce que je veux, c'est le conte populaire. " Cette for-

---

1. Milan Kundera, *L'insoutenable légèreté de l'être,* Gallimard, 1983, p. 316.
2. Goethe, « Les époques de la culture sociale » (1832) in *Écrits sur l'Art,* textes choisis, traduits et annotés par Jean-Marie Schaeffer, Klincksieck, 1983.

mulation est sans doute la plus douce et la plus abstraite. Qu'en réalité, le national-socialisme soit aussi
une répugnante barbarie résulte de ce qu'au
royaume de la politique, les contes de fées
deviennent des mensonges[1]. »

Catastrophe du conte de fées : la pire violence ne
naît pas de l'antagonisme entre les hommes, mais de
la certitude de les en délivrer à tout jamais. «*Polemos*,
disait Héraclite, est le père de toutes choses. » Ainsi
que Patočka le démontre fortement[2], c'est pour avoir
voulu faire cesser ce règne que l'Idéologie a plongé
l'humanité dans une détresse sans précédent. Son
immoralité absolue tient non à son cynisme ou à son
machiavélisme mais à la nature exclusivement
morale de ses catégories. Son caractère inhumain,
relevé par le procureur, découle de son désir impa-
tient de fraternité. Car si l'on admet avec Eluard, le
grand poète de l'Idéologie, qu'« il ne faut pas de tout
pour faire un monde, il faut du bonheur et rien
d'autre », n'est-il pas criminel de laisser vivre et pros-
pérer, sans réagir, les militants déclarés du malheur,
les implacables ennemis de la société sans ennemi ?

On en conclura que l'humanité cesse d'être
humaine, dès lors qu'il n'y a plus de place pour la
figure de l'ennemi dans l'idée qu'elle se fait d'elle-
même et de son destin. Ce qui signifie, *a contrario*,
que *l'angélisme n'est pas un humanisme*, que la dis-

1. Thomas Mann, « Défense de Wagner », in *Wagner et notre temps*,
Pluriel, 1978, p. 178.
2. Jan Patočka, *Essais hérétiques*, Verdier, 1981.

corde, loin d'être un raté ou un archaïsme de la socialité, est notre bien politique le plus précieux, et que l'excellence de la démocratie, sa supériorité sur toutes les autres formes de coexistence humaine, réside justement dans le fait d'avoir institutionnalisé le conflit en l'inscrivant au principe de son fonctionnement.

Or nous avons beau être désormais – et avec quelle ardeur! – des démocrates antinazis, antitotalitaires, antifascistes, antiracistes, et antiapartheid, nous n'avons pas appris à nous méfier du sourire béat de la fraternité. Malgré Patočka, Kundera, Hannah Arendt ou Thomas Mann, la leçon du siècle n'a pas été entendue : nous continuons à tenir la vie à l'unisson pour l'apothéose même de l'être. De grands procès en concerts planétaires, c'est le tableau enchanté de la sympathie universelle que nous opposons aux xénophobes, aux partisans du repli et aux semeurs de haine. Face au raciste, objet actuel de notre exécration hebdomadaire, nous sommes tous des frères, des proches, des potes, nous sommes soulevés par les mêmes émotions, nos corps s'agitent au même rythme d'une «grande danse euro-mondiale[1]», nos «dix milliards d'oreilles[2]» s'enchantent des mêmes harmonies, nos pouls s'accélèrent simultanément,

1. Jean-François Bizot, *Libération*, 18-19 juin 1988 (à propos du triple concert Paris-New York-Dakar, organisé par SOS Racisme, pour la date anniversaire du 18 juin 1988).
2. J'emprunte cette expression à la publicité du grand magasin de disques, baptisé «Megastore» et ouvert par la firme Virgin en octobre 1988, avenue des Champs-Élysées à Paris.

une même énergie nous électrise et, rejetant au profit d'une culture du son « l'antique autorité de l'ordre verbal[1] », nous entonnons, à la lueur des briquets, le même hymne d'espoir et d'amour sur toute la surface de la terre. La certitude se répand ainsi que s'il n'y avait les nazis et leurs épigones, les diverses composantes de l'humanité se fondraient dans une immense étreinte musicale.

On ne peut donc reprocher aux successives générations de l'après-guerre un quelconque défaut de mémoire ou de vigilance. Hitler, nous connaissons, mais c'est hélas pour investir dans l'antinazisme le fantasme totalitaire de la transparence des cœurs et du bonheur fusionnel. Au rêve d'une communauté homogène de sang et de sol, nous répondons par « la proximité excessive d'une fraternité qui efface toutes les distinctions[2] ». Comme si, en fait, rien n'avait eu lieu, comme si nulle catastrophe n'avait endeuillé l'époque, la nuit de l'idylle descend à nouveau sur l'humanité. L'amour détrône *Polémos,* le sentiment envahit l'espace du différend, et remplace l'expression agonistique des opinions par la communion lyrique des personnes.

Loin donc de défendre la légitimité du conflit contre ceux qui veulent l'abolir, nous devenons peu à peu incapables de concevoir d'autre division que celle – exclusivement morale – qui passe entre

1. George Steiner, *Dans le château de Barbe-Bleue, notes pour une redéfinition de la culture,* Gallimard, coll. Folio-Essais, 1986, p. 133.
2. Hannah Arendt, *Vies politiques, op. cit.,* p. 40.

«Eux» et «Nous», c'est-à-dire entre Caïn et Abel. L'antiracisme nous tient lieu de politique alors qu'il devrait en être seulement la condition préalable. Et c'est au moment où nous nous félicitons d'être, une fois pour toutes, débarrassés de la *langue de bois* que, rabattant tout antagonisme sur le combat cosmique et schématique de la Lumière contre les Ténèbres, nous la parlons avec le plus d'ardeur.

Sous l'apparence d'une grande réconciliation avec les idéaux de la démocratie, le politique s'éclipse, la vision morale du monde triomphe une fois encore. Naguère (c'est-à-dire pendant les années CRS-SS), elle puisait ses emblèmes et ses slogans dans l'épopée du maquis. Aujourd'hui, inspirée davantage par le martyre de l'étoile jaune que par l'exemple du partisan, elle s'adosse au génocide juif pour faire régner son terrible sérieux enfantin sur la vie publique aussi bien que sur la culture. En vertu d'Auschwitz et du «Plus jamais ça!», la valeur d'une œuvre réside désormais non dans sa puissance de dévoilement, mais dans l'intensité de son combat contre toutes les pratiques discriminatoires; non dans sa richesse en monde mais dans son aptitude à purger le monde de toute profondeur et de toute indétermination; non dans son ouverture à ce qui est relatif, paradoxal, ambigu, clair-obscur, mais dans le vertigineux simplisme de ses bons sentiments. Des origines à nos jours, les poètes, les penseurs, les romanciers, les cinéastes, les grands compositeurs et les vedettes de la chanson sont investis d'un seul et magnifique mandat : stigmatiser le ventre encore et toujours fécond, dénoncer le racisme. Baudelaire, confie, à la télévision, le dirigeant d'une grande entreprise de loisirs, m'a appris la tolérance. Homère, déclare un philosophe antiheideggerien, s'est élevé le premier contre la pratique du génocide. *La métamorphose* de Kafka disent, en substance, de nombreuses copies d'étudiants est une bouleversante parabole de l'intolérance et de l'exclusion, comme *Le garçon aux cheveux verts*, ce si beau film de Joseph Losey... Animés des plus louables intentions, ce patron, ce philosophe et ces étudiants ne laissent rien subsister des auteurs qu'ils révèrent, ni d'ailleurs de la littérature en général, sinon un discours édifiant tenu, d'âge en âge et sous des masques sans cesse renouvelés, par une sorte de Victor Hugo perpétuel.

La sensibilité contemporaine fait donc jouer à l'antiracisme le même rôle que la vulgate stalinienne à la lutte de classes. Et c'est en invoquant avec une complaisance indécente la *Shoah* que l'aspiration au conte populaire dépolitise aujourd'hui le débat politique, transforme la culture en image pieuse, et réduit, sans se soucier de la vérité, l'immaîtrisable multiplicité humaine au face-à-face exaltant de l'Innocence et de la Bête Immonde.

IX

La déchéance de l'événement

Abritée derrière le conte populaire, l'Idéologie a donc refait surface dans le lieu même où elle aurait dû être mise en jugement. C'est ce paradoxe qui a stupéfié Me Zaoui et qu'il a voulu souligner, par un geste lui-même provocateur et exceptionnel. Peine perdue! De multiples handicaps empêchaient qu'il se fît entendre : juif, il était *a priori* suspect de plaider pour sa paroisse; peu connu, il se permettait un scandale trop rare, trop inouï pour n'être pas l'apanage des célébrités du barreau; enfin – tare suprême – il était l'un des trente-neuf avocats dont les trente-neuf plaidoiries avaient assommé l'auditoire, du 17 au 26 juin sans interruption. La rancœur accumulée au fil des audiences contre les parties civiles se déchaîna sur Me Zaoui, lorsque celui-ci tenta de couper la parole à son collègue algérien : «Assez, les intarissables! Taisez-vous enfin! On ne vous a déjà que trop entendus! Vous vous êtes étalés sans vergogne pendant huit jours, vous n'allez pas en plus couvrir la voix de vos adversaires!» Tel fut le cri du cœur qui accueillit et qui annula, sans coup férir, sa protestation. Les allégations de Mᵉ Bouaïta n'avaient, dans ce contexte, aucune importance. Peut-être fut-il *excessif*; mais son contradicteur provenait, lui, du camp des *ennuyeux*, et cette appartenance rédhibitoire suffisait à disqualifier son comportement.

Nous sommes loin de l'époque où Péguy journaliste pouvait encore se proposer de «dire la vérité, toute la vérité, rien que la vérité, bêtement la vérité bête, ennuyeusement la vérité ennuyeuse, tristement la vérité triste[1]». Entre-temps, l'événement est passé du domaine de *l'histoire* à la sphère des *loisirs*: ce qui fait événement, ce n'est pas la teneur de l'acte ou de la circonstance, c'est sa présentation; ce n'est pas la chose qui advient, c'est le titre-calembour qui peut en être tiré ou le *scoop* qui la met en spectacle. Qu'il amuse ou qu'il émeuve, l'événement a désormais pour première mission de divertir et non de concerner: «La Paix, vedette de l'été», écrivait un grand quotidien parisien pour marquer dignement la concomitance du retrait des troupes soviétiques d'Afghanistan et du cessez-le-feu entre l'Irak et l'Iran. Adieu Péguy: hormis quelques îlots de résistance, eux-mêmes de plus en plus menacés, l'austère souci de la vérité cède progressivement la place à l'exigence de faire des «coups» et de tenir le public en haleine. Le principe d'objectivité, qui avait victorieusement résisté aux pressions de la raison d'État et

1. Péguy, «Lettre du Provincial», *Œuvres en prose complètes*, t. I, éd. Robert Burac, Gallimard, Bibl. de la Pléiade, 1987, pp. 291-292.

aux sophismes de la logique partisane, abdique sans condition devant la volonté effrénée de *relever* l'information (comme on dit d'une recette culinaire) pour se démarquer de la concurrence et pour appâter le client. Et, le politique basculant tout entier dans le ludique, il n'y a plus d'événement ennuyeux. Ce serait une contradiction dans les termes. Ce serait comme si l'événement était encore une catégorie du monde, alors qu'il tend inexorablemet à devenir une récréation à heures fixes, c'est-à-dire une catégorie de la vie.

Pour de mauvaises raisons où entraient à la fois l'inexpérience, le besoin de paraître et les rivalités de personnes, mais aussi parce qu'une *dette* insolvable à l'égard des morts les rivait à la vérité, les avocats des cent quarante-six parties civiles (associations et victimes individuelles) ne surent pas s'adapter à cette grande mutation ontologique de l'événement. Soumis au passé, cloués au sol par « ce qui, un jour, fut [1] », ils pouvaient avoir recours aux facilités de l'éloquence – et certains, hélas, ne s'en sont pas privés –, mais pas au sensationnalisme. Au lieu de faire vite, ils ont donc fait interminable. Au lieu de faire impression, ils ont fait bâiller. Plutôt que de satisfaire l'appétit du nouveau, ils ont rabâché, jusqu'à l'indigestion, les mêmes formules. M⁰ Zaoui a payé d'une condamnation sans appel cette grave infraction à la législation médiatique de l'événement.

M⁰ Vergès, à l'inverse, était libre : nulle dette ne le

1. Ricœur, *Le Temps raconté, op. cit.*, p. 204.

rattachant au passé, il était en mesure d'installer le suspense au cœur même de la remémoration et de substituer le délicieux frisson de l'événement au fastidieux ressassement des faits. Avec lui tout devenait possible, même que le passé cessât d'être immuable, c'est-à-dire embêtant, même le coup de théâtre rétrospectif, même l'émergence d'une vérité palpitante sous la monotonie de la vérité officielle. D'où la cour assidue dont il fut l'objet et qui contrastait avec le mépris excédé que recueillit « la meute grouillante et brouillonne [1] » de ses adversaires.

Cet ascendant n'impliquait, il est vrai, aucune adhésion. Me Vergès faisait de l'audience, il n'exerçait pas d'influence. Rejeté comme fanatique, il n'était jamais recherché que comme *condiment*. Ce n'est pas le doctrinaire en lui qui subjuguait les consciences, c'est la vedette qui divertissait le public. Ce n'est pas l'activiste qui marquait les points, c'est le diable qui rendait le spectacle plus animé. Ce n'est pas la radicalité de sa cause qui soulevait l'enthousiasme, ce sont ses promesses de scandale, sa réputation sulfureuse et son art consommé du mystère qui excitaient la convoitise : « A la guerre, comme en justice, c'est un atout maître de ne croire à rien, d'être ailleurs, tout en stratégie froide, en regards d'oiseau,

---

1. Avec l'exactitude de l'imagination romanesque, B. Poirot-Delpech prête cette formule à Barbie (*Monsieur Barbie n'a rien à dire*, Gallimard, 1987, p. 31). Mais lors d'interruptions d'audience, des journalistes exprimèrent leur exaspération dans un langage voisin. Ainsi se rejoignaient – fugitivement – le dégoût du nazi pour la vermine et celui du « zappeur » pour la répétition.

bardé de l'opprobre que suscite cette apparente inhumanité[1]. » Moralement haï pour la substance de ses propos, l'avocat de « don Klaus[2] » était médiatiquement adulé pour les mêmes raisons impérieuses et superficielles qui avaient poussé naguère le magazine allemand *Stern* à publier les prétendus « carnets secrets » de Hitler. L'espérance qu'il incarnait n'était pas plus militante que la prière adressée par un journaliste à Barbie – au moment où celui-ci, laissant son box vide, quittait le tribunal – de lui donner (en exclusivité) le nom du traître qui avait livré Jean Moulin à la police allemande. Un tel succès ne pouvait que mettre en sursis son propre bénéficiaire. Qu'il ne tînt pas ses promesses, aussitôt c'était l'hallali ; et même s'il les tenait, la vie était trop insatiable pour lui en savoir gré : dès qu'un événement a étanché sa soif de surprise, elle se détourne et cherche ailleurs de nouvelles nouveautés, d'autres événements du siècle. L'information est là, au même titre que toutes les industries culturelles, pour lui fournir sans cesse des articles différents. « Ne pas lasser, vite autre chose[3] » : à l'âge des loisirs, l'actualité détrône l'historicité ; les instants ne se suivent plus selon un ordre sensé et racontable, ils se succèdent comme les repas dans un cycle sans fin. Le monde devenant un

1. Bertrand Poirot-Delpech, *op. cit.*, p. 35.
2. Tel est, en effet, le titre empreint d'une sympathie déférente que Me Vergès décerne désormais à son plus célèbre client (*Beauté du crime*, Plon, 1988, *passim*).
3. Gilles Lipovetsky, *L'empire de l'éphémère*, Gallimard, 1987, p. 251.

objet de consommation multiforme et permanent, son destin est d'être continuellement englcuti par ses consommateurs.

Beaucoup voient aujourd'hui dans ce divorce entre l'audience et l'influence, la meilleure garantie contre les tentations meurtrières de l'Idéologie. Celle-ci, diraient-ils, peut bien faire retour à Lyon, elle est désamorcée par l'intérêt même qu'elle suscite. Puisque l'âge des loisirs est celui des excitations brèves, puisque, comme l'écrit Régis Debray, « maintenant, tout est maintenant [1] », tout est instant, tout ne surgit que pour disparaître, alors il n'y a pas de quoi s'inquiéter : la démocratie est enfin devenue insubversible, nul embrigadement durable ne résiste à la ronde enfiévrée des flashes, des catastrophes, des grands moments ; au grand dam des sergents recruteurs de tous bords, l'esprit de système est sans prise sur l'homme comblé d'informations disparates ; la sentimentalité elle-même se monnaye en coups de cœur trop discontinus pour qu'il y ait encore quelque chose à craindre de ses débordements, et la vocation de l'événement n'étant plus d'être *mémorable* mais, tout à l'inverse, *dégradable* afin que, sitôt apparu et consommé, il cède, *sans histoire*, la place au suivant, ceux qui font l'événement (Vergès compris) meurent avec l'événement qu'ils font.

Reste à savoir si nous ne pouvons vraiment tabler que sur l'inconstance du Journal pour conjurer les

1. Régis Debray, *Le pouvoir intellectuel en France*, Gallimard, Coll. Folio-Essais, 1986, p. 128.

ravages du cœur et si le seul moyen pour que l'histoire ne soit plus enfermée dans le carcan d'une loi « scientifique », c'est que l'humanité n'ait plus d'histoire, mais une éternelle actualité. La civilisation a fait le procès de Nuremberg afin de *rendre la loi au droit* en dénonçant ses contrefaçons idéologique et disciplinaire. C'est rompre avec cette ambition que de confier aux loisirs le soin d'affranchir l'humanité de la continuité, de la cohérence et de toutes les formes de la loi.

X

La Maison et le Monde

A la fin de ce procès unanimement qualifié d'exemplaire, certaines autorités religieuses et morales exprimèrent un seul (petit) regret : que les débats n'aient pas été télévisés. On sait, en effet, qu'après un long et tumultueux débat, il fut décidé de filmer l'audience, mais de n'autoriser que dans trente ans la programmation de cette image d'archives. Ceux qui ne voulaient pas de la solution de compromis arrêtée par Robert Badinter invoquaient, à l'appui de leur impatience, le caractère extraordinaire du procès. Il fallait faire une exception, disaient-ils, pour cet événement hors du commun. Puisque, pour la première fois en France, un homme était jugé pour crime contre l'humanité, il n'y avait aucune raison valable, à l'heure où la technique traverse toutes les murailles, de laisser l'humanité hors de l'enceinte où se déroulait l'action judiciaire intentée en son nom. La grande leçon d'antinazisme administrée à Lyon aurait ainsi profité à tout le monde. Au lieu d'être réservés à une minorité choisie ou filtrés par la subjectivité des journalistes, les atroces témoignages de Lise Lesèvre, de Simone Lagrange, et des deux mères d'Izieu, Mmes Halaunbrenner et Benguigui, seraient entrés dans tous les foyers directement, immédiatement, sans perdre en cours de route leur charge émotive. Et cela eût peut-être évité de voir quatre millions d'électeurs français donner, un an plus tard, leurs voix à un homme qui déclare ouvertement que les responsabilités de la Seconde Guerre mondiale sont partagées, et que l'existence des chambres à gaz ne doit plus être considérée comme une « vérité révélée » puisque « les historiens débattent de ces questions [1] ». Pouvait-on, en effet, rêver antidote plus efficace que le procès d'un ancien chef de la Gestapo, aux thèses agressivement « révisionnistes » de l'extrême droite renaissante ?

Cette confiance dans les vertus pédagogiques et thérapeutiques du petit écran part d'un postulat : la télévision est un instrument neutre, un simple moyen de communication sans effet sur les contenus qu'il véhicule. Ce n'est pourtant pas la même chose

1. J.-M. Le Pen, Grand Jury RTL *Le Monde*, 13 septembre 1987. Ce salut implicite à Faurisson montre bien, soit dit en passant, qu'en présentant les chambres à gaz comme « un point de détail de l'histoire de la Seconde Guerre mondiale », Jean-Marie Le Pen jetait la suspicion sur la réalité même du génocide et ne manifestait donc pas du tout, comme il l'a prétendu ensuite avec la véhémence du Juste, sa compassion pour toutes les victimes, quelles que fussent leur nationalité ou les armes et les moyens ayant servi à les supprimer. A concentrer leur indignation sur le seul mot de « détail », les commentateurs ont involontairement facilité la défense et le rétablissement de celui qu'ils croyaient enfin tenir.

de suivre un procès dans une salle d'audience, ou chez soi dans son fauteuil. Au tribunal, on ne peut ni téléphoner, ni s'affairer, ni s'affaler, ni aider ses enfants à finir leurs devoirs, ni même grignoter une pomme. «La Cour!»: les fonctions corporelles doivent être maîtrisées, la vie doit suspendre son bourdonnement pour que puisse se déployer la cérémonie judiciaire. Il en va d'ailleurs de la justice, comme de la religion, de l'acte théâtral ou de l'opération d'enseignement: elle peut être rendue partout (une table suffit) mais à condition de dégager le temps et l'espace des débats de leurs utilisations profanes. Il est donc *deux fois* absurde de vouloir téléviser l'acte judiciaire, pour mieux instruire les gens. Car loin de reproduire cette coupure fondamentale, la télévision offre le sacré en pâture au profane, et met le dehors à la merci de l'intimité. Sous couleur de faire entrer le monde dans la maison, la télévision accomplit la revanche de la maison sur le monde: nulle œuvre n'est assez admirable, nulle catastrophe assez terrible, nulle parole assez enseignante pour qu'on cesse de manger une pomme et de tutoyer l'écran. Avec la télévision, le bourdonnement triomphe de toute interruption, *la vie ne fait jamais silence*. Ce n'est plus l'homme qui doit sortir de l'éternel retour des besoins et des satisfactions et s'arracher à sa vie (biologique, privée, quotidienne) pour se rendre disponible à l'humanité du monde, c'est le monde humain qui est livré à domicile, et qui est mis à la disposition de la vie, sur le modèle de la pomme. Ce n'est plus don Quichotte, en nous, qui doit faire taire Sancho Pança, c'est Sancho Pança qui occupe seul le terrain et qui savoure sa toute-puissance [1].

Mené à son terme, un tel renversement implique la disparition de la justice, de l'école, de la scène (« l'atmosphère même du drame, c'est *le silence*. Plus ce silence est puissant, plus il est rebelle, plus intense est l'accent dramatique qui l'attaque et le déchire. Le drame commence par le silence, aussi bien qu'il finit par lui. Il en sort pour y entrer. Il est comme une rupture, un fugitif réveil, comme une exclamation discordante entre deux marges de silence [2] »), et, plus généralement, de tout ce qui transcende l'entretien ou la reproduction de la vie. Voilà pourquoi il y a des choses qui ne sont pas encore télévisables, comme le procès de Lyon, malgré les pressions des grandes consciences.

Celles-ci, il est vrai, ont raison sur un point : quarante-cinq ans après la Libération, la France ne peut pas laisser sans réagir un démagogue promouvoir la négation des chambres à gaz au rang d'école historique à part entière et combattre, avec une virulence

1. En diffusant *Shoah* tard dans la soirée, c'est-à-dire à une heure où la vie est assoupie, la première chaîne de télévision a involontairement fait échec à cette fatalité de la désacralisation. Les mobiles des programmateurs étaient purement commerciaux (ne pas prendre de risque à une heure de grande écoute), mais leur cynisme a mis le film de Lanzmann à l'abri de notre environnement quotidien et de nos activités domestiques, au lieu de l'y engloutir, comme c'est presque toujours le cas avec la télévision.
2. Jacques Copeau, *Registres I, Appels*, Gallimard, 1974, p. 162.

inentamée par l'expérience du siècle, l'idée que la qualité de prochain ne se limite pas aux plus proches mais s'étend, au même titre, à tous les habitants de la terre. Reste qu'en chargeant l'image de violer les ultimes sanctuaires encore soustraits à sa loi pour mieux vaincre l'exclusion, nos humanistes ne servent pas la cause de l'humanité : ils donnent seulement le supplément d'âme de l'antiracisme à la médiatisation déchaînée, ils posent en acte de résistance leur adhésion sans distance à un mouvement déjà peu résistible, et sous prétexte d'en finir avec la barbarie, ils hâtent l'entrée dans l'époque où plus rien de ce que les hommes auront gagné sur le travail n'échappera au destin de la pomme, c'est-à-dire à la consommation.

Et même s'ils ont échoué dans ce cas précis, on peut dire, étant donné la définition de l'événement qui a prévalu tout au long de l'audience et la manière dont a été pénalisé l'ennui, que le regard du téléspectateur a précédé les caméras, et que *la réalité* tend désormais à être vécue comme *une possibilité* abusivement érigée en programme unique, comme une image bêtement obligatoire, comme une grosse pomme interminable et insipide que, frustrés de télécommande, nous supportons de plus en plus mal de ne pouvoir échanger, séance tenante, pour un plaisir plus capiteux.

XI

*La levée des scrupules
ou l'autre coup de minuit*

« Pour chaque homme et pour chaque événement, disait, on s'en souvient, Péguy, il vient une minute, une heure, il tombe une heure où il devient historique, il sonne un certain coup de minuit, à une certaine horloge de village où l'événement de réel, tombe historique. »

Le procès Barbie a bien retardé le moment, « le coup de minuit » où les victimes du nazisme de réelles, deviendront historiques. Mais ce fut, cruelle ironie, pour doter d'une sorte d'aura ou d'urgence prescriptive la mainmise déjà quasi totale de la consommation et de la sentimentalité sur la vie humaine. Comme si la mémoire du siècle nous commandait d'en oublier les leçons. Comme si Auschwitz, rien de moins, nous faisait obligation de tout médiatiser, sans discrétion ni scrupule. Comme si, en un mot, la voix même des morts nous enjoignait de disposer du monde au lieu de nous ouvrir à lui, et voulait que nous transformions l'histoire, dans son intégralité, en conte pour enfants.

DU MÊME AUTEUR

Aux Éditions Gallimard

LA SAGESSE DE L'AMOUR.

LA DÉFAITE DE LA PENSÉE.

LE MÉCONTEMPORAIN. PÉGUY, LECTEUR DU MONDE MODERNE.

COMMENT PEUT-ON ÊTRE CROATE ?

Chez d'autres éditeurs

L'HUMANITÉ PERDUE

LE NOUVEAU DÉSORDRE AMOUREUX, en collaboration avec Pascal Bruckner, Le Seuil.

RALENTIR : MOTS-VALISES !, Le Seuil.

AU COIN DE LA RUE, L'AVENTURE, en collaboration avec Pascal Bruckner, Le Seuil.

LE JUIF IMAGINAIRE, Le Seuil.

LE PETIT FICTIONNAIRE ILLUSTRÉ, Le Seuil.

L'AVENIR D'UNE NÉGATION. RÉFLEXION SUR LA QUESTION DE GÉNOCIDE, Le Seuil.

LA RÉPROBATION D'ISRAËL, Denoël.

LES ESSAIS EN FOLIO ESSAIS

(extrait du catalogue)

Impression Bussière à Saint-Amand (Cher),
le 27 avril 1998.
Dépôt légal : avril 1998.
1ᵉʳ dépôt légal dans la collection : octobre 1992.
Numéro d'imprimeur : 853.
ISBN 2-07-032730-2./Imprimé en France.